KU-542-446

SOUVENIRS D'UN LIBRAIRE

A Peter
en souvenir de bons moments
passés à l'émission et regrettant qu'il
n'ait pas connu la librairie
Jacques

VOILÀ LES OFFICES DE SEPTEMBRE
PIEM

Jacques Plaine

SOUVENIRS D'UN LIBRAIRE

Préface de
Paul Fournel

Dessins de
Piem

Collection
« Documents »

le cherche midi

23, rue du Cherche-Midi, 75006 Paris

Vous pouvez consulter notre catalogue général et l'annonce
de nos prochaines parutions sur notre site Internet : cherche-midi.com

Préface

Il y a des hommes qui sont au monde pour donner des coups de pied et des coups de poing et puis il y en a quelques rares qui sont là pour donner des coups de main. Ils sont le liant du système, ils en sont l'huile et l'essence, ils font tourner la machine et remuent ciel et terre pour que, de temps en temps, tout le monde ou presque tire dans le même bon sens.

Jacques Plaine est un modèle achevé de cette jolie catégorie.

Il est l'homme le plus président que je connaisse : président de la Fédération française des syndicats de libraires, président de chambre au tribunal de commerce, président des Anciens élèves du lycée Claude Fauriel, président de l'Association culturelle du parc du Pilat... Lorsque, par hasard, il n'est pas président, il est vice-président, sénateur, juge, conseiller. Lorsqu'il n'est rien de tout cela, le voici commissaire général (côté livres, pas côté police). Il n'arrête pas.

Bien entendu, on apprend tout cela par hasard. Il n'est pas du genre à agiter ses titres. Ce qu'il aime dans ses présidences, ce sont exclusivement les emmerdements qui s'y attachent. C'est pour cela qu'on lui en redonne.

Après avoir vendu des bouquins à des générations de Stéphanois, succédant à son père et à son grand-père, il leur concocte maintenant ce qui est sans conteste une des plus animées et des plus populaires Fêtes du livre de France. Pendant toute l'année, il tire ses fils, il tisse sa toile, il monte ses coups, combine, convainc, refait ses comptes, trouve quatre sous pour faire un franc, arpente les fêtes voisines. On le voit à Paris, on le voit à Brive et partout, on le reconnaît.

On le reconnaît parce qu'il est aimable tout au long de l'an, mais également parce qu'il a su se faire une tête : une brosse de cheveux dans laquelle il astique ses lunettes en demi-lune et un nœud papillon qui semble le tirer perpétuellement en avant, comme une hélice.

Tous ceux qui viennent à la Fête depuis plus de dix ans sont persuadés qu'il y a sept Plaine comme il y a sept nains. On jure l'avoir vu au même moment sous le chapiteau, au restaurant, place Marengo en train d'accueillir les mômes, près de l'expo, dans la grande salle de la mairie, au débat... Alors qu'à la même seconde, il était à l'aéroport et sur le plateau du journal de treize heures à Lyon...

Le seul moment de la Fête où Plaine est bien à l'endroit où il se trouve, c'est pendant la montée cycliste. On le reconnaît, tête haute, au milieu du peloton.

Le vélo et le marathon sont ses repos. Ce ne sont pas pour autant ses solitudes, il roule en groupe et court en masse. Il est parmi les mille et les cent mille qui courent à New York, qui courent à Londres et qui avalent bon an mal an leur millier d'heures de bitume.

Et voilà que Plaine, dans un interstice de temps volé dans une dimension que nous ne connaissons pas encore, nous a fait un livre. Un livre de souvenirs dans sa manière discrète, à petites touches modestes, qui en dit plus long qu'on pourrait le croire. Ne cherchez pas là l'inventaire vitaminé des mérites de l'auteur, ne cherchez pas le déroulé scrupuleux de ses gloires, mais lisez bien en filigrane le beau métier de vendre des livres, le talent d'observation amusée et affectueuse des autres, l'exemplaire présence au monde, lisez l'amitié et les trésors que la vie donne en retour au généreux.

Paul FOURNEL

Le blé en herbe

1932-1950

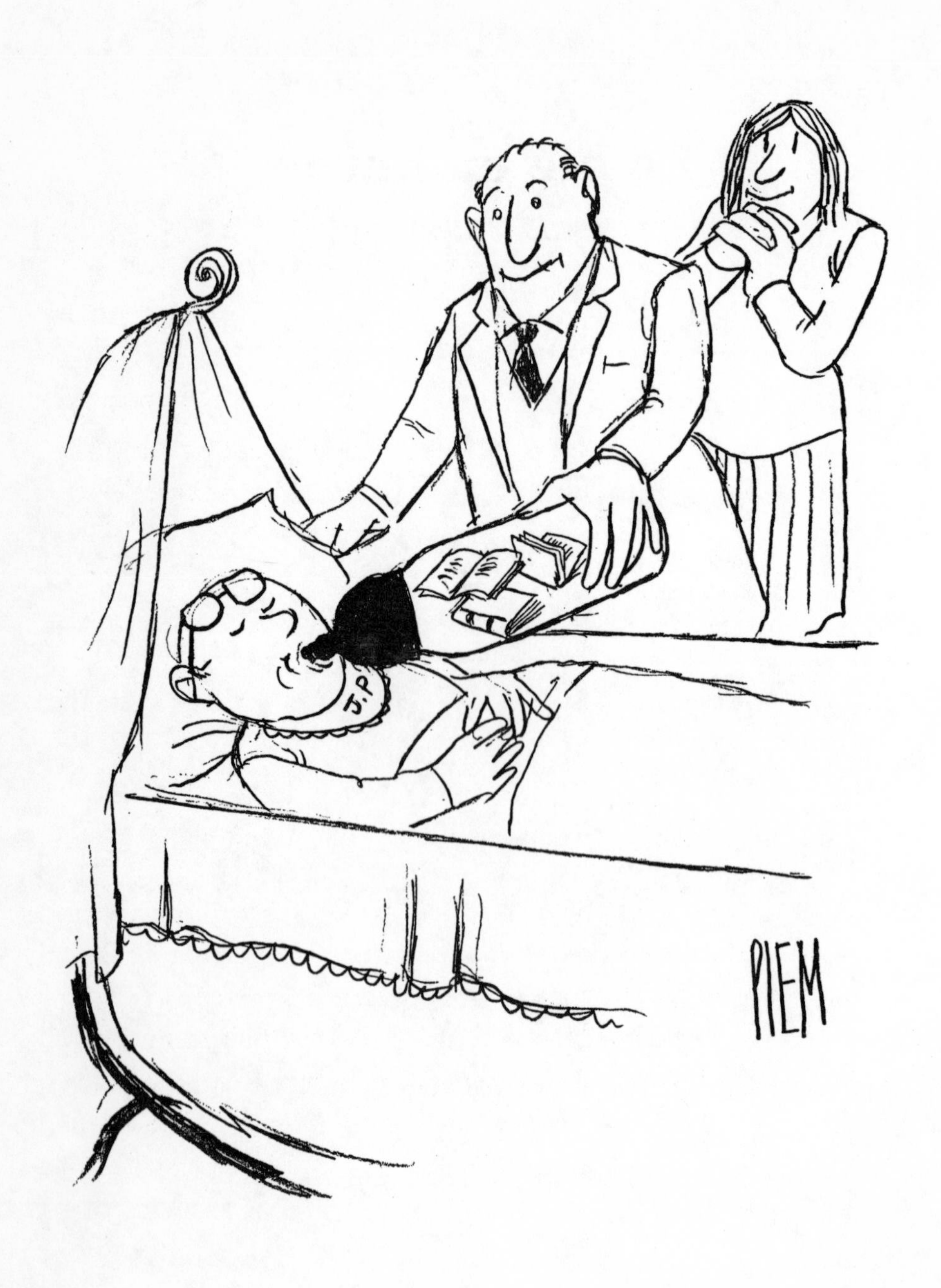
J.P
PIEM

Je suis tombé dans la marmite de la librairie, à la naissance. J'ai fait mes premiers pas, et peut-être mes premières dents, à la « Librairie-Papeterie-Clinique de stylos » 7, rue Traversière à Saint-Étienne.

À cette époque, les enfants naissaient encore dans les choux, les familles étaient fort discrètes sur les ébats amoureux des jeunes mariés, mais la librairie me tient si fort au cœur et au corps que je me demande parfois si je n'ai pas été conçu entre une pile de Gaffiot et un étal de *Bibi-Fricotin.*

C'est dans le magasin que, à l'âge des premiers biberons et avant l'invention des « cartouches », j'ai avalé ma première vessie de stylo !

À trois mois, je fus promu livreur, puisque c'est mon landau, moi dessous, les paquets dessus, qui assurait, poussé par l'unique employée, le service « livraisons à domicile » de l'entreprise.

Dès mon premier vagissement, ma voie fut parfaitement tracée. Fils de libraire, j'étais programmé « libraire » ; fils de paysan, j'aurais vécu au cul des vaches, fils de « bistro », j'aurais fait dans la limonade.

Lorsque l'enfant paraît, qu'il fait sa communion ou convole en justes noces, lorsqu'un aïeul discrètement s'éteint, les familles se réunissent. Elles rient, pleurent, boivent des coups en l'honneur du nourrisson, du communiant, des jeunes mariés ou du défunt et racontent l'histoire de leur dynastie. Elles parlent de ceux qui ne sont plus là, avec l'espoir d'ouvrir un sillon de mémoire dans le cœur des plus jeunes qui les écoutent.

J'ai ainsi entendu cent fois évoquer les exploits glorieux, pittoresques ou incongrus, d'une parentèle dont la généalogie m'échappe ; seul en reste le souvenir d'images d'Épinal mythiques aux contours un peu flous.

C'est un grand-père qui coupait menu les fourchettes en étain de la maisonnée pour charger en mitraille son fusil de chasse.

C'en est un autre à qui Napoléon III, empereur des Français, a serré la main, au siège de Sébastopol.

C'est mon oncle qui, en chapeau melon, col dur et costume trois pièces, se rendait à vélo, en une seule étape, de Firminy à Genève pour revenir le lendemain dès l'aube.

C'est ce trisaïeul qui, deuxième classe en tenue, a balancé un inconnu dans le Rhône, au prétexte qu'il lui aurait jeté un « Moi, les artilleurs, je me les fais par la culasse ! »

Cet autre qui, pour honorer un pari stupide, s'était coupé la moitié de la moustache et s'en dessinait une chaque matin en attendant que les poils repoussent.

C'est mon arrière-grand-père qui à chacune de ses fredaines offrait à sa femme un magnifique bijou dont il faisait changer illico les pierres véritables par des fausses afin de financer l'incartade à venir.

Je ne sais plus (mais l'ai-je jamais su ?) qui a fait quoi, qui était en Crimée, qui était braconnier, coureur de jupons, artilleur, cycliste au long cours ou qui arborait une belle bacchante sur une joue et son pendant en charbon de bois sur l'autre ! J'imagine parfois que c'est le même personnage qui fut le héros de toutes ces prouesses, l'Ancêtre avec un grand A, celui qui restera l'Auteur de tout ce qui est digne de mémoire dans la tribu ; l'Ascendant magnifié et fantastique.

Alors, les jours d'audace et de prétention, je rêve parfois que les enfants des petits-enfants de mes enfants ajouteront, dans bien longtemps, que cet Ancêtre-là, tout libraire qu'il ait été pendant un demi-siècle, avait aussi couru le jour de ses 70 ans le marathon de Paris !

La librairie de mon enfance n'était pas très différente de celle que mon grand-père ouvrit en 1917. Seule, la chambre de mes arrière-grands-parents, côté cour, avait été transformée en réserve de livres scolaires. Le magasin, un cube de cinq mètres de côté, était rayonné jusqu'au plafond, d'où l'importance des échelles.

Avec la *Bibliographie de la France*, les échelles étaient l'accessoire de base du libraire, le prolongement de son corps dans l'espace réduit de son « estanco ». Il en existait à roulettes, à glissières, d'autres triangulaires qu'on appuyait délicatement sur les livres pour ne pas leur « marquer » le dos. Il y avait aussi celles de la concupiscence sous lesquelles certains clients s'attardaient, parce qu'un joli corps s'activait quelques barreaux au-dessus. Un libraire parisien avoua, au cours d'un docte congrès, pallier cette déviance voyeuriste en n'employant qu'un personnel masculin – Bonjour, la parité !

Quand le premier long métrage de Walt Disney, *Blanche Neige* fut projeté dans un cinéma de la ville, j'avais 6 ans. Mes parents, qui souhaitaient m'intéresser à la vie culturelle, confièrent à une employée de la librairie la charge de m'emmener voir le film pendant « ses horaires ». Au retour, quand ils me virent découper un pistolet dans un morceau de carton et faire le tour du magasin en sautant sur les fameuses échelles, passer de l'une à l'autre en poussant des cris de Sioux, ils s'alarmèrent. Information prise, *Blanche Neige* avait été précédée d'un western de la grande époque.

Mon père, militant de *La Paix par le droit*, jura que c'était la dernière fois qu'il me voyait une arme à la main. Pourtant, le dernier grand plaisir que je lui fis un demi-siècle plus tard fut de lui faire partager les joies de la billebaude dans une petite chasse communale des monts du Pilat.

Jean Deschamps fit le bonheur du TNP en interprétant Don Diègue. Il avait fait le nôtre avec Rodrigue.

Nous vivions les heures troubles de l'Occupation : « Replié » à Saint-Étienne avec la troupe « Arquillière », le jour, il jouait les mineurs de fond pour échapper au STO, le soir, il remontait pour redevenir comédien.

La troupe Arquillière avait adopté notre librairie comme pied-à-terre, et parce qu'un comédien au repos reste un acteur en représentation, la boutique était un théâtre dans la ville. Même si le mot n'existait pas encore, elle était aussi le bureau du casting.

Monsieur Arquillière décida un jour de mettre *Œdipe Roi* à l'affiche. Manquait un gamin pour guider le Devin. Mon grand-père étant aveugle on m'estima compétent. C'est ainsi que je perçus mon premier salaire : un billet dont j'ai oublié la couleur.

Jadis, comme on le dit par ici, la librairie restait ouverte « du temps de midi ».

Comme dans tous les petits commerces, la cuisine était juste derrière la boutique. Mes grands-parents et mes parents déjeunaient, un œil sur la porte d'entrée, l'autre dans leur assiette. Avant de se mettre à table, un tirage au sort avait défini dans quel ordre chacun se lèverait et irait servir.

Il y avait les veinards qui tombaient sur un écolier dont l'achat se limitait à une gomme ou un crayon : ils retrouvaient leur assiette avant qu'elle n'eût refroidi. Il y avait les poissards qui « se tapaient » un habitué de la « bibliothèque de location » : ils apprenaient tout sur le roman que le client venait de rapporter, les derniers ragots de la vie du quartier... et mangeaient chaud par procuration.

Au bout d'un temps que la montre-gousset de mon grand-père permettait d'annoncer avec précision, ils raccompagnaient l'importun à la porte et le saluaient d'un « au plaisir » convaincu. Leur sincérité était analysée alors par le reste de la famille qui avait profité de la scène comme d'une télé avant l'heure.

Je n'ai pas connu cette époque. Le magasin fermait entre midi et 14 heures, j'avais 10 ans et mes parents s'étaient installés de l'autre côté de la rue. La cuisine n'était qu'un prolongement de la librairie, une boutique *bis*. Les clients participaient aux repas en surimpression. Ils étaient bien là cependant, dans la soupière, entre les plats, le pain et le vin.

Ils occupaient tout l'espace, nous empêchant de nous voir les uns les autres. Toutes portes closes, on pouvait évoquer entre nous ce qu'il n'aurait pas été convenable de faire au magasin : c'était l'occasion de se lancer vertement à la tête ce qui se serait satisfait de la litote, voire du non-dit.

Et quand le ton montait et laissait présager l'intolérable, mon père débranchait son Sonotone.

Ma cour de récréation, mon terrain de jeux, mon Disneyland, c'était la rue.

Pas n'importe laquelle : la rue Traversière. Celle de la librairie de mon père... et de mon grand-père, à une époque où le trottoir y était large, somptueux, royal.

J'ai encore dans l'oreille le bruit assourdissant des chars que nous fabriquions d'une planche et de quatre roulements à billes. Les adultes nous regardaient avec le même œil consterné que nous avons aujourd'hui à l'égard de ceux qui essaient désespérément de sauter en skate-board sur les aspérités, bornes, escaliers ou bancs, qui ornent nos rues et places publiques.

Alexandre de Fraissinette, alors maire de Saint-Étienne, habitait à deux pas et assistait, bon enfant, à nos ébats. Le temps passa, je grandis, je vieillis, je devins libraire.

Alexandre de Fraissinette était toujours là, premier magistrat de la ville. Le jour où il célébra mon mariage, il se tourna vers ma femme et dans un de ces brillants raccourcis dont cet avocat réputé avait le secret, il associa, pour elle, d'un seul coup, mes activités d'enfance et ma profession : « Je connais, chère madame, votre mari depuis sa tendre enfance, je l'ai vu grandir sur le trottoir et se préparer à exercer avec bonheur son métier si spécial. »

Pour mon grand-père, la nuit et le jour, l'ombre et la lumière, c'était toujours le noir. La radio était le seul pont qui le rattachait au monde des voyants. « Il mettait son poste », à n'importe quelle heure pour « prendre les nouvelles » et, le matin, nous donnait les informations toutes fraîches de la nuit, les dernières déclarations des présidents du Conseil, de la Chambre ou du Sénat. Mon père doutait immanquablement de la crédibilité des messages, convaincu que l'objectif de toute radio était d'influer sur l'opinion publique dans le sens du pouvoir. L'information lui était suspecte : derrière le discours officiel se cachait, c'est évident, une machiavélique tromperie. La vérité se trouvait, à n'en pas douter, à l'opposé de ce qui était officiellement annoncé.

J'ai vécu mes jeunes années dans cette mise en garde permanente. La proximité des livres ne faisait que renforcer ce scepticisme. Tout et le contraire de tout y est, en effet, soutenu et démontré par des maîtres incontestés du savoir.

Ma suspicion devenait particulièrement vive quand le message m'était destiné. Ma mère insistait souvent sur ma difficile arrivée au monde. Jusqu'à 14 ans j'en conclus que j'avais été adopté.

Le proviseur Moulin était non seulement un monsieur d'une rare courtoisie – il répondait au salut de chacun de ses élèves en soulevant civilement son feutre à bords retournés – mais aussi un homme de terrain.

Les jeudis après-midi, il suivait en spectateur attentif toutes les compétitions sportives de ses élèves. C'est ainsi qu'il me vit terminer les épreuves du « 250 mètres » des championnats de la Loire sur le ventre et que, quelques semaines plus tard, il me dispensait les premiers soins à l'arrivée du cross du « challenge du nombre ». Rattrapé dans la dernière ligne droite, je m'étais, sitôt la ligne franchie, effondré dans ses bras.

Inquiet pour la santé d'un garçon dont il se sentait responsable, il sollicita du médecin scolaire une visite médicale approfondie. Le praticien s'acquitta de sa mission et vint à la librairie (c'est là que tout se passait) faire part de son diagnostic implacable à mes parents :

« Votre fils est en parfaite santé. Évitez cependant les compétitions : il a tellement envie de gagner que sa tête va plus vite que ses jambes ! »

En ce temps-là, les grands de ce monde, de passage à Saint-Étienne, « descendaient » au Grand Hôtel. Beaucoup traversaient l'avenue de la Libération pour « faire un tour » à la librairie qui se trouvait à deux pas.

Georges Bidault, alors député de la Loire, était un habitué. À l'occasion d'une de ses visites, flânant dans la librairie, il montre à mon père la dernière page d'un ouvrage consacré à la vie des grenouilles.

« Voyez, monsieur, le jour de l'appel du Général de Gaulle, il y avait quelqu'un, en France, qui focalisait toute son intelligence sur la copulation des batraciens ! »

Et de montrer l'achevé d'imprimer. Il datait du 18 juin 1940.

La Librairie Plaine, Librairie du Lycée d'alors, n'était encore qu'un modeste magasin, grand comme un F5, au milieu duquel trônait un magnifique poêle en fonte rouge : « le Phare ».

Mon grand-père, béret vissé sur la tête, lunettes noires, le menton allongé d'un bouc à la Napoléon III, s'y appuyait, mains dans le dos, hiver comme été. De ce point central et stratégique, patriarche aux aguets, il émettait, haut et fort, des points de vue de non-voyant :

« Vous ne trouvez pas que ça sent la cocotte ici ? La dame qui m'a serré la main, tout à l'heure, ne serait pas madame X ? » Si madame X était encore dans le magasin, nous lui ébranlions l'épaule d'une bourrade pour éviter une escalade verbale irréparable.

Parfois, et c'était sans doute sa façon de participer encore aux affaires, il lançait, sachant pertinemment que le client flânait toujours au milieu des rayons :

« Monsieur Y, qui m'a dit bonjour tout à l'heure, je parie qu'il n'a pas payé son ardoise. » Il envoyait sa remarque si vite et si fort qu'il était impossible de l'interrompre.

Et lorsque, à retardement, je le secouais d'un vigoureux coup de coude, non seulement il ne grimaçait pas, mais je sentais sous sa barbiche comme une immense satisfaction.

La fête foraine de l'avenue de la Libération, jadis avenue du Président-Faure puis du Maréchal-Pétain, était une belle « vogue » ! L'avenue, interdite à la circulation, était réservée aux baraques foraines et aux manèges. Ça commençait par le « kakvak » devant le monument aux morts, place Fourneyron, pour se terminer, sur l'actuelle place Jean-Moulin, par des chevaux de bois. Le jeune patron de ce manège actionnait un singe en peluche pendu à une ficelle : si un enfant arrachait la queue du singe, il gagnait un tour gratuit.

La pimpante employée de la librairie, chargée de ramener ma sœur du « petit lycée » (c'était alors la 11e ou la 10e, maintenant le CP ou le CE2) avait pour mission de lui « payer » un tour de manège.

Ce jour-là, l'école était terminée depuis longtemps, quand ma mère, inquiète de ne voir revenir ni sa fille ni son employée, décide d'intervenir. D'instinct, elle se dirige vers le manège.

« Eh oui, je m'en doutais, elles sont là !

– Elle a encore tiré la queue du singe, s'excuse l'employée.

– Depuis une heure que la classe est finie, elle ne l'a quand même pas tirée dix fois, la queue du singe !

– Trente-cinq ! » rectifie fièrement ma sœur.

Or, jamais, de mémoire de cheval de bois, n'avait été relevé un tel exploit. Une enquête fut diligentée sur-le-champ ! D'où il ressortit que le jeune forain, pris d'une passion aussi subite que violente pour notre commis-libraire, avait profité de la queue du singe – trente-cinq fois – pour faire durer plus longtemps le plaisir de sa tendre présence !

Au fil du temps et au gré des contraintes municipales, le « Marché aux Puces » a émigré de Villebœuf aux Ursules, de la place Dorian au boulevard Jules-Janin, pour atterrir aujourd'hui à deux pas du quartier du Babet, à l'ombre des crassiers et du chevalement Couriot.

Ce déballage de toute la « drouille », de toute la « bartassaille » « accumoncelée » au cours des temps dans les galetas, les cagibis ou les « cafurons », envahit les trottoirs, les dimanches matin, étalé sur de vieux journaux ou de vieilles « couvertes ». Les vendeurs du début du siècle, « pagnots de vogue » ou « patères » sont remplacés par quelques « faramelans » tout aussi mal « gognés », mais aujourd'hui très au fait de la dernière cote, à Drouot ou chez Christie's, de tous les objets proposés.

Dans les années trente, mon père y faisait régulièrement un tour, à la recherche de la bonne affaire marchandée âprement. Un dimanche il arriva, sur le coup de midi, portant avec l'ami Bobichon, peintre bien connu de tous les Stéphanois et son condisciple à « l'école de dessin », un moulage de la Vénus de Milo (1,20 m et 60 kg). J'entends encore mon père et Bobichon s'esclaffer, en expliquant pourquoi ils avaient acheté ce bronze pour une bouchée de pain : « Il lui manquait les bras. »

Mon père estimait qu'on ne devient pas libraire comme ça, par simple filiation : il me souhaitait diplômé.

Hélas, une longue pratique l'avait habitué à recevoir avec fatalisme mes bulletins scolaires ! Les commentaires qui accompagnaient celui de la fin de seconde marquèrent cependant un tournant dans ma carrière de cancre.

Une litanie ininterrompue de « aucun travail, peut mieux faire » se terminait par cette appréciation du professeur de gymnastique : « excellent élève, particulièrement volontaire ». Ce jugement mit le feu aux poudres.

Une sévère engueulade s'ensuivit, assortie de l'interdiction de pratiquer quelque sport que ce soit, y compris lors des cours obligatoires d'éducation physique. Mon père m'avertit avec solennité : « Tu veux être libraire, d'accord. Mais seulement quand tu auras réussi le premier bac. » C'était net et précis, avec en plus, en cas d'échec, le spectre de la boîte à bachot des Maristes de Saint-Chamond où personne, selon la rumeur publique, n'avait réussi à échouer.

Je retroussai les manches, j'avais un but précis : la marche à suivre pour devenir libraire. Mais par manque d'habitude du travail scolaire, peu entraîné à doser mes efforts en ce domaine, j'en mis une couche de trop et j'eus le malheur de réussir avec mention. En guise de félicitations, j'eus droit à un sévère : « Tu t'es bien fichu de nous, maintenant tu vas passer le second. »

Suivit un été tendu, aux repas, les mots aigre-doux tenaient lieu de dessert :

« Je n'irai pas au lycée.

– Si, tu iras.

– Tu m'avais promis.

– Tu iras quand même. »

En septembre, la situation était toujours bloquée. Il fut décidé, d'un commun accord, de mander en tant qu'arbitre LE Cousin, officier de Marine et Sage de la famille, pour tenter une médiation.

Le Cousin quitta sa rade de Toulon, arriva cinq heures plus tard à la gare de Chateaucreux pour y trouver le père et le fils. La journée se traîna, à parler de tout et de rien, et dans le plus pur style paysan, d'évoquer tous les sujets sauf celui pour lequel nous étions réunis puis, juste avant le départ, fut posée la vraie question :

« Alors tu ne veux pas continuer tes études ? Pourquoi ?

– Mon père m'avait promis que si je réussissais le premier bac, je rentrerais à la librairie. »

Le Cousin, officier supérieur de son état, homme droit, raide, sévère, habitué à tous les règlements et à toutes les règles de l'honneur, se tourna alors vers mon père :

« Tu as dit ça, Louis ?

– Oui, j'ai dit ça, soupira mon père, le nez dans sa limonade.

– Alors, je ne peux rien pour toi. »

Très digne, sans un mot de plus, il se leva et prit son train.

Le lendemain, j'intégrais la librairie.

Les vertes années

1951-1968

J'EN VOUDRAIS UN
AVEC DES IMAGES
PIEM

Le 3 juin 1950 une expédition française atteignait dans l'Himalaya le premier sommet de plus de 8 000 mètres : l'Annapurna.

Victoire fabuleuse qui ébranla le monde des fervents de l'alpinisme et tous les autres. La montée avait été terrible, la descente fut dramatique. Entre le camp V et le camp IV, Lionel Terray et Gaston Rebuffat sont aveugles, Maurice Herzog et Louis Lachenal ont les mains et les pieds gelés. Aux portes de la mort, perdus dans la tourmente, Herzog, avec un seul gant, Lachenal, les pieds nus, doivent leur survie à Lionel Terray, le moins atteint des quatre. C'est lui qui fait la trace, c'est lui qui refuse de laisser Herzog mourir, comme il le demande, dans la montagne qu'il a vaincue.

Ce colosse de résistance et de courage, celui dont on disait dans les bergeries des hautes vallées des Alpes qu'il ne respirait bien qu'au-dessus de 3 000 mètres vint à Saint-Étienne le 27 avril 1951. Dans sa 4 CV Renault verte il nous emmena mon père et moi préparer sa conférence salle Jeanne d'Arc.

Quand on s'appelle Lionel Terray, qu'on a fait la voie de retour du premier 8 000 les yeux brûlés et trois types sur le dos... l'avenue de la Libération, les rues Hippolyte-Sauzéa et Croix-courette, ça se prend pied au plancher en cisaillant les virages.

Depuis ce jour, quand je conduisais sec, j'entendais la voix de mon père, sentencieuse : « Faudrait pas te prendre pour Lionel Terray ! »

Stimulé par Roger Magnard, fondateur des éditions Magnard, et vieil ami de la famille, je m'étais, à 18 ans dès ma première année de librairie, lancé comme un « mort de faim » dans la vente des cahiers de devoirs de vacances.

Quarante-deux ans plus tard, à la fermeture de la librairie, je rendais toujours visite, deux fois par an, à deux cents écoles primaires de la région, à raison de dix-sept le matin, dix-sept l'après-midi. Au cours d'une première visite, au mois de mai, j'apportais aux élèves les récompenses obtenues au concours de l'année précédente. Au mois de juin, je retournais pour leur vendre les nouveaux cahiers.

Comme j'étais devenu pour les éditions Magnard un libraire intéressant et un client sérieux, leur nouveau PDG, Louis Magnard, fils du fondateur, avait souhaité me rencontrer. Il désirait en savoir plus sur la façon dont j'avais mis en musique la chanson de son père et plus précisément comprendre comment on pouvait visiter trente-quatre écoles par jour ouvrable.

Nous étions convenus que nous ferions une tournée ensemble. Pour ne pas attirer l'attention sur sa véritable identité au risque de dérégler un timing dont l'observation était la préoccupation essentielle, je devais le présenter comme un « jeune libraire stagiaire ».

J'eus ainsi le privilège, un jour entier, de disposer d'un grouillot, ci-devant PDG de la première maison d'édition française de cahiers de vacances, à qui je fis sans vergogne porter mes valises.

Louis Magnard jugea sans doute ma technique trop physique pour une profession plus ventrue de la cervelle que du mollet : il ne la présenta jamais comme un exemple à suivre ! Il eut en revanche la délicatesse d'attendre ma retraite pour se lancer comme un « mort de faim » dans la vente des cahiers de vacances en grandes surfaces.

À chacun sa fringale !

C'est le jour de l'oral de l'examen professionnel de librairie que pour la première fois j'ai acheté *L'Équipe*.

Les autres candidats, rassemblés devant le Cercle de la Librairie, boulevard Saint-Germain, arboraient ostensiblement *Les Nouvelles littéraires*. En les voyant, j'avais foncé au kiosque voisin puis j'avais attendu le début des épreuves, *L'Équipe* sous le bras.

Je sus dès lors que je ne serais jamais un libraire tout à fait comme les autres.

Jamais, de mémoire de syndicaliste, les assemblées de libraires ne firent le plein avec la même facilité que dans l'immédiat après-guerre.

Il restait, des années noires, le besoin de paraître et de se faire remarquer des responsables. C'était le bureau parisien du syndicat, il faut l'avouer, qui répartissait la pénurie, distribuait les tickets d'essence, donnait son avis sur la compétence des confrères et exerçait, pour finir, une véritable hégémonie sur les conditions d'achat que pouvaient obtenir les professionnels.

Une fois l'an, tous les libraires se pressaient à ces grands-messes, faisaient assaut de respectabilité, d'importance et d'aisance financière, convaincus que les dirigeants « descendus » de Paris établiraient un lien irréfutable entre la coupe de leur costume, la cylindrée de leur voiture, les toilettes de leur femme et l'excellence de leur librairie.

J'ai le souvenir d'une assemblée dont l'invité d'honneur était Virgil Gheorghiu. Dès la veille, le cercle très fermé des libraires de la capitale des Gaules avait profité de sa présence pour recevoir les responsables nationaux avec luxe mais discrétion.

Nul ne saura par quel mécanisme la petite troupe se métamorphosa aux premières lueurs de l'aube en fine équipe, et quel abus de langage la fit atterrir au poste de police. Sentant la maîtrise des événements lui échapper, le secrétaire général du syndicat brossa la biographie de notre hôte roumain, déroula sa bibliographie et termina par ce qu'il espérait être une botte imparable : « Vous avez devant vous, Monsieur le Commissaire, l'auteur de *La Vingt-cinquième Heure.* » La réponse le convainquit que le chemin pour retrouver la liberté était encore bien long : « Cher monsieur, ici à Lyon, des heures, il n'y en a toujours que vingt-quatre. »

Maurice Allemand, conservateur du musée d'Art et d'Industrie et prédécesseur de Bernard Ceysson, est un grand oublié de l'aventure picturale moderne de Saint-Étienne. Petit bonhomme passionné, ardent champion d'une expression artistique que personne n'osait alors revendiquer, il s'est érigé en apôtre et en avocat, en héraut et en tribun d'œuvres que le commun des Stéphanois considérait alors comme de réelles impostures. Pionnier, défricheur d'idées, il a exposé ce qui était banni, acheté ce qui était rejeté, défendu ce qui était méprisé.

Sa femme, elle, peintre reconnue, exposait volontiers son propre travail. Nous lui avions réservé une place dans la galerie de notre librairie. Les après-midi, elle y recevait avec tellement de discrétion, qu'un soir on l'oublia au milieu de ses tableaux. Bouclée à double tour, prisonnière de la librairie, elle téléphona au commissariat de police pour raconter son infortune et demander assistance. Un véhicule fut dépêché en urgence. Et comme les policiers de notre bonne ville sont gens de courtoisie, c'est avec une prévenance très grand siècle qu'ils la reconduisirent en ses appartements, dans leur carrosse de fonction : « le panier à salade ».

TOURNE
LA PAGE

C'était au temps des locomotives, à l'âge des « chevaliers du chaudron » quand les compartiments de 3e classe tenaient plus de la diligence que des salons du Fouquet's, et que les voyageurs hiératiques et silencieux vivaient leur aventure sur rail, enfermés dans leurs soucis de la veille ou dans ceux du lendemain.

Installé sagement à sa place, un grand jeune homme timide, du genre « pour vivre heureux, vivons cachés », sortit avec discrétion un bouquin pour en jouir tranquillement, isolé dans sa bulle. La première page de son diable de livre le fit s'esclaffer ; il jeta un coup d'œil alentour, se vit observé, jugé et mal, peut-être ! Il sourit, navré, puis replongea dans son histoire pour se donner une contenance et, crac, à la troisième ligne l'hilarité le reprit, pas une hilarité intérieure mais un grand rire franc et massif. Il s'excusa du regard, chercha un réconfort circulaire sur les visages impassibles qui le cernaient, repiqua du nez dans son texte et, une nouvelle fois, pouffa bruyamment. Penaud, il montra son livre à la ronde : « Ce n'est pas moi, c'est lui. » Il fit un nouvel essai qui l'obligea à sortir d'urgence son mouchoir pour éponger sa joie.

Je réalisai, en cet instant, combien était grand le pouvoir des mots.

J'imaginai, 2000 ans avant notre ère, quelque Égyptien se gondoler de profil en décryptant une stèle de hiéroglyphes et un enfant du siècle à venir pleurer de rire sur un e-book équipé d'essuie-glace !

Non, Bill Gates n'aura pas la peau de Gutenberg !

Lyon, ville de congrès internationaux, accueillit celui particulièrement prestigieux des « économistes ruraux ». Il se tenait au Fort Saint-Irénée, sur la colline de Fourvière. L'agence chargée de son organisation avait eu l'idée de créer au cœur même du congrès un important stand de vente. Il présentait la presse internationale, enrichie d'une exposition d'ouvrages de recherche et d'érudition, publiés dans toutes les langues.

En plein territoire lyonnais, c'est à nous, libraires stéphanois, qu'avait été confiée la gestion du stand. Soucieux de montrer aux congressistes notre compétence et désireux de convaincre les organisateurs de la pertinence de leur choix, nous avions monté une exposition exceptionnelle en qualité et en diversité.

Les congressistes, eux, rassemblaient tout ce qui par le monde avait statut de spécialiste en économie rurale tant parmi les grands commis de l'État que dans les chapelles universitaires les plus diverses.

Le congrès terminé, vint l'heure du bilan. Et là, il fallut bien admettre l'inadmissible, nombre de livres avaient disparu ! Il n'était pas question, bien entendu, d'envisager qu'une de ces sommités ait pu se permettre quelque regrettable égarement ! Il fut donc retenu que le petit personnel attaché au congrès était composé de redoutables économistes, autodidactes polyglottes, mais un peu indélicats !

Ce fut l'enseignement réconfortant de ce magnifique congrès !

Chaque fois que je lui soumettais un projet décoiffant, mon père m'entraînait chez un vieux Sage. Il s'agissait de clients vénérables, de personnes que l'on dit « de bon conseil ». Mon père en avait une collection étendue qui recouvrait l'ensemble des activités humaines. Rendez-vous pris, nous lui soumettions mon idée et mon père allait à la pêche aux critiques.

J'eus ainsi à plaider le dossier de la suppression des fonds de vitrines, celui de la sonorisation musicale de la librairie, ou de la création d'un rayon « scientifique et technique ».

Pour ce dernier dossier, le Sage sollicité était le directeur de l'École nationale supérieure des mines de Saint-Étienne, alpiniste himalayen réputé, qui conclut l'entretien d'un sans appel : « Le livre technique, c'est fini, l'avenir est à la microfiche. » Par chance, il manqua d'arguments et ne convainquit pas mon père : la première petite graine de ce qui allait devenir la Librairie de l'Université venait d'être semée.

La première étape consista à organiser dans ce que l'on appelait « la galerie » au premier étage du magasin, des expositions temporaires. On y présentait des livres spécialisés, commandés avec faculté de retour : leur haute technicité ne justifiait pas une présence permanente dans nos rayons.

La deuxième étape fut la conséquence de l'achat de notre première camionnette. Elle était destinée à livrer aux clients des meubles bibliothèques (bibliothèques Assembla) qui auparavant leur étaient portés sur le toit de notre 4 CV Renault. Le fait de disposer de ce véhicule permit de présenter dans les usines les expositions proposées jusque-là seulement au magasin.

Nous installions, pour une journée, un bon millier de livres techniques ou technologiques dans « la salle du conseil », dans le garage, dans des hangars désaffectés, dans des halls d'exposition.

Certaines entreprises, trop petites, ne purent nous accueillir, qu'importe, on entreprit une tournée dans les salles des fêtes des municipalités, reçus avec bienveillance par Claudius Petit, Antoine Pinay, Émile Hémain ou Petrus Faure. De grosses usines refusèrent notre proposition, n'ayant pas, disaient-elles, d'espace convenable pour nous recevoir.

Vint donc la troisième étape : le prêt d'un semi-remorque par les Transports Rivière, un 30 tonnes, équipé de façon sommaire voire précaire. On fit ainsi la tournée des grands-ducs, pardon, des grands barons de l'industrie locale.

Chacun de nous est porteur d'une idée qu'il adapte à toutes les saisons de son existence. Cette saga du livre scientifique et technique aura été pour moi l'urticaire culturel que je me suis attaché à faire partager à ceux qui jusque-là avaient été préservés de la gratouille livresque.

C'est dans la « boutique de papa » que les libraires de ma génération sont entrés dans la carrière.

Dans les années cinquante, la librairie française n'était pas très différente de celle du début du siècle. La librairie moderne restait à inventer et chacun dans sa ville, son quartier, sa rue, y allait de ses expériences en gestion des stocks, motivation du personnel, organisation de bureau, recherche de clientèle, montage de fichiers, lancement de signatures, d'expositions, d'animations dans le magasin ou à l'extérieur. Nous allions les uns chez les autres voir, juger, apprendre, discuter, nous informer. Il n'y avait pas de semaine où je ne fasse visiter la librairie à un confrère.

Un jour, je recevais le président national de la Librairie classique avec tout le respect et les égards réservés, en ce temps-là, à un personnage de cette qualité.

Arrive l'ami Bobichon dans son costume noir fleurant bon la térébenthine, l'huile de lin, la peinture Lefranc, le fusain, le mastic. Bref, il portait tout sur lui : sa cuisine, son jardin, son atelier. « Plaine, ramène-moi chez moi, je suis plein comme un boudin ! » Dans la seconde, je m'exécutai, le poussai dans ma voiture, direction : sa petite maison de la rue Liogier.

Je lus dans les yeux du président national de la Librairie classique comme un blanc, un vertige, une incompréhension. Mon empressement à régler cette urgence n'était pas en harmonie avec son code des bons usages, son manuel de savoir-vivre, sa conception de la bienséance.

Qu'importe ! Alexis Bobichon avait une place à part dans le protocole !

C'était une vieille dame très digne. Elle poussait la porte de la librairie avec une brassée de fleurs du jardin un peu défraîchies : « J'habite si loin et puis je les ai laissé s'épanouir en pensant à vous », s'excusait-elle. Un mot gentil, un compliment, un sourire, une tendresse, c'était la bonté même qui allait son chemin au rythme des petits bonheurs tout simples de la vie.

Plus tard, *Le Progrès*, page « faits divers », nous apprit que la vieille dame était un seigneur de la carambouille, un prince du chèque en bois, un as de l'arnaque. Et les fleurs du jardin ? Elle les ramassait sur les tombes du cimetière du crêt de Roch. Étaient-elles un peu fanées ? Il fallait bien que les morts en profitent un peu.

Indigne mais fleur bleue, la vieille dame !

Quand les deux gendarmes tournèrent le coin de la rue Traversière, je discutais sur le trottoir devant la librairie. J'eus la certitude que le papier qui leur brûlait les doigts était mon ordre de mobilisation. Comme tous ceux de la classe 52/2, j'étais rappelé en Algérie.

Première étape : Marseille, embarquement sur le *Ville d'Oran*, arrivée à Alger, bref séjour dans le camp de la légion étrangère parachutiste à Zeralda, puis départ pour le bled. Traversée sans armes ni bagages d'un océan de djebels : voyage initiatique dans un GMC hors d'usage, remorqué par un véhicule à peine en meilleur état, trois jours et trois nuits exposés sans armes, victimes offertes à qui n'en profita point...

Dès l'arrivée, je demandai le rapport du commandant de compagnie qui me l'accorda sur-le-champ. J'étais en Algérie, bien malgré moi, ma vie était ailleurs et surtout je touchais une solde supérieure à mon salaire de libraire. Gagner plus à la guerre que chez moi me dérangeait, je souhaitais abandonner la différence à plus malheureux que moi. Ma demande l'étonna, mais en homme compréhensif, bienveillant même, il accepta de consigner les sommes que je lui remettrais chaque mois... on verrait quoi en faire lors de mon départ.

À quelques jours de ma libération, il convoqua un brave garçon méritant mais désargenté et lui remit la cagnotte.

– Le capitaine vient de me donner plein de sous – me dit-il – paraît que je suis un « cas sociaux ».

Quand je vois la ville sillonnée par les Mobylettes de jeunes gens qui « portent à domicile » des pizzas aux quatre coins des quartiers, je me souviens du premier service de livraisons de la librairie. Il se limitait à un jeune garçon équipé d'un vélomoteur.

Un beau matin et sans raison, il crut bon de rester au lit. L'après-midi, alors que je lui soufflais quelque peu dans les bronches, il se justifia ainsi : « Il y a deux types en moi : le premier a envie de travailler, le second veut rester couché, et ce n'est pas toujours le même qui gagne. »

J'aurais volontiers botté les fesses au deuxième.

C'était un dimanche d'hiver, au Bessat... Un de ces dimanches où les honnêtes gens restent au coin du feu, tant la nature est hostile, tant le brouillard est dense.

Derrière l'église, un pré pentu : le pré du curé. Par beau temps on y skie en famille ; ce jour-là, personne dans le village, personne dans le pré du curé... sauf ma fille et moi. La neige est soufflée, croûtée. Qu'importe, on est venu pour skier, on skiera malgré tout ! Descentes, virages, arrêts, remontées en canard !...

Bientôt, un aboiement continu, étouffé mais opiniâtre, emplit le silence.

Intrigués, nous nous dirigeons, guidés par le bruit, vers l'animal qui semble à l'arrêt. Au bout de quelques centaines de mètres nous découvrons un gamin, étendu dans la neige, skis en déroute, jambe cassée. C'est « le fils Georjon », dont les parents « tiennent » le restaurant « des touristes » au Bessat. Je le prends dans mes bras, et le ramène chez lui.

Fin du premier acte.

Quelques années plus tard, un grand jeune homme m'aborde dans la rue.

« Vous ne me reconnaissez pas ? Je suis le fils Georjon. C'est vous qui... »

La scène me revient : le brouillard, les aboiements, la jambe cassée...

« Sans votre chien, vous y étiez, pour un moment, le nez dans la misère !

– Mais ce n'était pas mon chien ! C'était la première fois que je le voyais ! »

Et après un silence, parce que il y a des mots qui ne peuvent sortir que si l'on a respiré un grand coup :

« Mais à partir de ce jour-là, il a été mon chien ! »

« Allô ? Librairie Plaine ? Avez-vous *Le Malade imaginaire* en petit classique Larousse ou... Hatier ? ... Bien... Vous me faites un paquet, vous le portez place du Peuple à l'arrêt du tramway de la Terrasse, vous le remettez au conducteur... D'accord ? ... Et, vous seriez gentil de me téléphoner aussitôt pour que j'aille l'attendre au terminus. »

J'aurais dû remercier qu'elle n'exige pas, en plus, une livraison à domicile !

Mon père n'était pas homme à monter sur les tables pour y pousser la chansonnette : timide et réservé, son style était ailleurs. Aussi quand, en pleine rentrée des classes, on le vit debout sur un comptoir, s'apprêtant à haranguer la masse des clients serrés à ses pieds, on redouta le pire. Il avait disjoncté, son comportement en était la preuve évidente.

Avant certaines réformes de l'Éducation nationale, tous les élèves des lycées et collèges passaient au moins une fois à la librairie au cours de la semaine de la rentrée. Ils y accouraient en rangs serrés soit pour acheter la liste complète des manuels scolaires exigés, soit le livre qu'ils n'avaient pas trouvé chez un confrère ou qu'ils n'avaient pu se procurer d'occasion, soit pour acquérir dans notre libre-service équipé de paniers en osier les articles de papeterie demandés, soit pour trouver le carnet de correspondance dont nous avions l'exclusivité. Ils venaient tous, s'entassaient dans un magasin qui n'était pas prévu pour une telle affluence. Les uns demandaient si on allait bientôt déclencher le plan ORSEC, d'autres s'étonnaient que certains vendeurs « ne fassent pas la maille » (toute la famille était sur le pont), les plus hardis vous retenaient par où ils pouvaient ; on retrouvait les plus timides là où on les avait oubliés une heure plus tôt. Les mêmes jours aux mêmes heures, un même tourbillon inondait toutes les librairies classiques de France. Ce jour-là, mon père toujours debout sur le comptoir lança à la cantonade :

« Quelqu'un n'aurait-il pas perdu un lapin ? »

C'était bien ce qu'on redoutait : l'affluence, la cohue, la multitude lui avaient été fatales, une mouche maligne l'avait piqué.

Eh bien non, sa santé mentale était nickel-chrome, il y avait bien un lapin dans la librairie, un vrai, plus blanc que blanc et mon père le tenait par les oreilles.

Acheter le magasin situé à droite ou à gauche de votre librairie était, au temps des Trente Glorieuses, une éventualité que le prix à mettre sur et sous la table rendait bien improbable.

Mais lorsque le chœur des clients, des vierges et des représentants, vous serinaient :

« Va falloir pousser les murs », double-mètre en main, vous envisagiez toutes les solutions pour y parvenir.

Après avoir cloué des rayons partout où le bon sens jusque-là vous en avait empêché, après en avoir doublé la profondeur et surélevé une deuxième rangée de livres désormais inaccessibles, vous vous attaquiez à des systèmes sophistiqués de rayonnages sur glissières, sur roulettes, escamotables ou pivotants, écorneurs de livres, écraseurs de doigts.

Restaient les grands travaux : mezzanines quand la hauteur sous plafond le permettait, transformation en espaces de vente des arrière-salles encore en friche.

Les travaux étaient de deux catégories : ceux qui exigeaient la qualification de professionnels du bâtiment et ceux pour lesquels on s'auto-proclamait compétent.

Pour les premiers, l'affiche « pendant les travaux la vente continue », prévenait notre aimable clientèle que pendant trois ou quatre semaines, on entrait dans une ère de turbulences à laquelle le cours des choses l'associait. La collégiale des bons clients était attentive à ce chambardement qui lui promettait d'agréables surprises. Un peu triste, cependant, de voir s'effacer les repères d'un avant qui lui était cher. J'ai vu des clients dévorés de curiosité s'emparer crânement de parapluies de chantier afin de découvrir, sous les coffrages dégoulinants de ciment frais, ce que serait après-demain leur passé antérieur.

Pour les travaux faits « maison », dès la décision prise et pour prévenir un funeste remords et un éventuel retour en arrière, j'attaquais sans attendre et à la masse, le galandage à éradiquer. Aux heures ouvrables, j'abordais l'abattage, côté cour, torse nu et en short. Certain jour, pris d'assaut avec trop de fougue, un mur s'écroula brutalement au milieu des clients. En première ligne et ravie par l'incongruité de l'apparition, une bonne sœur en cornette se signa.

Lors d'une rencontre à la librairie, André Wurmser, alors personnalité en vue du parti communiste, avait longuement parlé avec une jeune journaliste.

De professionnelle, la conversation était devenue détendue, presque amicale, sans doute un peu plus que ne l'aurait souhaité André Wurmser. Aussi au moment de la séparation, sa dédicace lui permit de reprendre gentiment ses distances ; elle précisait simplement sur la page de garde de son livre : « À ma future amie d'enfance. »

VOUS N'AURIEZ PAS
LE MÊME SUR PAPIER
COUCHÉ
C'EST POUR LIRE AU LIT
PIEM

Paris est une fête

1968-1980

JE VOUS EN METS POUR COMBIEN ?
BANDE DESSINÉE
PIEM

Arrivée des « 100 km Vélocio », place Dorian. « Mais, petit, c'est toi qui as gagné ! » Ainsi fut saluée la seule course que j'aie jamais remportée, par un des rares spectateurs présents, à qui je demandais si « les premiers étaient là depuis longtemps ».

Quelques mois plus tôt, déjà, j'avais flirté avec la gloire éphémère réservée aux lauréats des courses cyclistes. C'était au déjeuner officiel qui clôturait, au casino de Saint-Galmier, le premier « Gentlemen foréziens ». Peu familier du biotope de l'édition française, je n'avais pas encore sur ce milieu la culture des vieux cliniciens. Pur et candide au pays des innocents naïfs, j'avais fait équipe avec un des frères Bonche, coureurs régionaux de talent, et, le nez dans le guidon et le guidon dans sa roue, j'avais bouclé les 25 km du parcours dans un temps honorable.

À l'heure des cérémonies, mon voisin de table, proche du comité d'organisation et de ce fait bien informé, me laissa entendre qu'un trophée était réservé au premier des « éditeurs-libraires ». Comme il n'y avait dans la salle qu'un éditeur et qu'un libraire, que j'avais été le plus rapide des deux, la coupe m'était donc promise et j'allais la recevoir des mains du président. Je découvris alors ce qui allait être mon quotidien quand je deviendrais responsable syndical : le monde éditorial a une imagination sans limite quand il s'agit d'honorer les siens.

L'éditeur arrivé après moi était aussi l'organisateur de la course... C'est à lui que fut remise la coupe, rebaptisée en urgence « Coupe du meilleur éditeur ».

« Monsieur, je vous rapporte cet ouvrage, la page 45 est imprimée à l'envers... Je ne suis pas satisfait du tout... et laissez-moi vous dire une chose : du temps de votre père, ça ne serait jamais arrivé... car, lui, il lisait tous les livres. »

Il n'est pas toujours facile de faire admettre à un client qui vient de régler son achat que ses précieux billets ne vont pas atterrir, vite fait bien fait, dans votre poche.

À l'un d'eux qui m'avait contraint à un minimum de pédagogie, j'expliquais que pour lui vendre des livres, il avait fallu que je les achète. Réponse :

« Oui, mais vos fournisseurs, vous ne les payez pas tous les jours. »

La corrida ne s'évoque pas avec les mêmes mots si on s'adresse à Jean Cau ou à François Cavanna. J'aurais aimé voir la tête de l'un et de l'autre le jour où en pleine saison taurine vichyssoise un aficionado auvergnat s'est écrié à l'instant où le torero plantait ses banderilles : « Alors tu les lui mets tes sucettes ! »

J'ai assisté à de nombreuses courses en Espagne, mais je n'ai vu de près les toros (pardon, les vaches) qu'au mas Ricard. C'était à l'occasion d'un congrès national de la FFSL[1] : il s'achevait par une course camarguaise.

Je savais qu'après une vraie course à la cocarde, les « raseteurs » proposeraient aux libraires de descendre dans l'arène. Jeune président du syndicat Rhône-Alpes, je ne doutais pas de mon sort. J'avais prévu un pantalon de rechange : on n'est jamais assez prudent !

Mes prévisions devaient se confirmer à la nuance près que lorsque vous avez quelques centaines de kilos de muscles lancés à vos trousses, les barrières ne sont qu'une formalité, la technique pour les franchir une foutaise ; la frousse vous donne des ailes, l'instinct, une détente de gazelle !

Ma vaillance (ou mon titre de Président) me valut une bouteille de Ricard. Je sauvai aussi mon pantalon !

---

1 : Fédération française des syndicats de libraires.

Le 3 décembre 1970, Hervé Bazin signait à la librairie sa nouveauté de l'année : *Les Bienheureux de la désolation.*

Depuis l'énorme succès en 1948 de *Vipère au poing*, chaque roman d'Hervé Bazin était un événement littéraire attendu par tous les libraires de France.

Sa présence à Saint-Étienne avait déplacé la télévision régionale, phénomène rarissime à l'époque. Le tournage avait débuté dès sa descente d'avion, pour se poursuivre tout au long de sa journée stéphanoise. La soirée s'était prolongée à la maison, où Hervé Bazin avait découvert et le « Viognier » et les châtaignes grillées sur les braises.

La cheminée, les brandons, les flammes, lui avaient rappelé le roman qu'il avait lui-même au feu et le vin des coteaux de Condrieu avait mis sur sa langue le petit plus qui pousse aux confidences.

« Le divorce sera le phénomène de société des prochaines années... La faillite des couples, le quotidien des familles... L'heure arrive qu'un grand écrivain s'en occupe... »

Ainsi naquit *Madame Ex.*

Comme d'autres font figure de gendre idéal, Marc Poncet était le vice-président modèle ; calme, efficace et discret il était le bras droit parfait pour inciter son président à entreprendre les 12 travaux d'Hercule à la fois, tout en proposant un treizième gratuit.

Le Syndicat des libraires de la Région Rhône-Alpes s'était donc porté volontaire pour organiser à Évian le Congrès national de la librairie française. La soirée de gala au Casino, avec quatre cents libraires et éditeurs en était le point d'orgue.

Les relations éditeurs-libraires étaient assombries alors par un conflit sur l'estimation du nombre de non-lecteurs : un sur deux pour les éditeurs, quasiment aucun pour les libraires. L'enjeu était l'ouverture du marché du livre aux grandes surfaces.

« Puisque, messieurs les libraires, les statistiques prouvent que vous n'accueillez dans vos librairies qu'un Français sur deux, nous sommes bien obligés de nous adresser aux grandes surfaces pour donner le goût de la lecture à ceux qui restent dehors. »

Au dîner et devant le gotha de l'édition française, nous avions décidé que j'annoncerais une grande nouvelle, oui, on avait trouvé un non-lecteur, il était là et on allait le voir, le toucher, lui parler. Par une petite porte, au fond du salon d'honneur, je ferais pénétrer ce spécimen rarissime, symbole de l'inculture : un âne, un âne en chair et en os, un baudet, un bourricot, Cadichon en personne.

J'avais organisé mon affaire avec méthode et, bien entendu, avec Poncet.

« Marc, j'ai besoin d'un âne.

– Je le trouverai.

– Peux-tu convaincre le Casino de le laisser entrer dans le salon d'honneur ?

– J'y arriverai !

– Pour le crottin ?

– Je m'en charge. »

Confiant, je pouvais oublier l'âne jusqu'à l'instant T du jour J.

Au moment de prendre la parole, je vérifie cependant s'ils sont bien là derrière la porte ; ils sont là, tous les deux, l'homme et l'animal, attendant sagement dans le noir.

« Ça va ?

– Ça va, mais il est têtu, il n'a jamais voulu monter l'escalier et j'ai dû le porter jusqu'ici... 45 marches... et en colimaçon ! »

Et parce que même les plus placides ont leurs excès de langage :

« Et ton âne, il est lourd comme une vache ! »

Pour un banquier, c'était un bon banquier. Attentif à nos chiffres, à nos résultats, client fidèle à l'écoute des vendeuses : la perle.

Mais les plus belles pierres ont leur crapaud, la fille du banquier ouvrit un beau matin une maison de la presse à deux pas de la librairie.

Je m'inquiète, redoute un chiffre d'affaires en berne, envisage des stratégies de riposte, de contre-attaque. Je propose de diviser le magasin en deux demi-étages, doubler la surface, doubler le stock et le bonifier : la Librairie du Lycée change de braquet et devient la Librairie de l'Université.

Les années passent, le magasin mitoyen est à vendre, la librairie double une seconde fois sa surface, son personnel, son stock. Une opportunité permet d'obtenir la presse. Ouverture d'un magasin «Journaux, revues françaises et étrangères». La concurrence baisse le rideau.

Le 17 avril 1970, Peter Townsend, dont la liaison avec la Princesse Margaret avait défrayé la chronique, dédicaçait dans notre librairie *Un duel d'aigles.* Ce même jour, les Américains avaient programmé le retour sur terre d'un satellite habité et sa rentrée dans l'atmosphère posait quelques inquiétudes à Cap Canaveral.

Nous avions installé un téléviseur dans le magasin et Peter Townsend assurait lui-même, son coupé et en direct, le commentaire des images. C'était une bien belle journée pour un libraire : un écrivain prestigieux, un événement passionnant le monde entier et la foule des grandes signatures.

Peter Townsend avait été invité à une soirée orchestrée par la gentry stéphanoise, j'étais, quant à moi, sollicité pour le conduire au domicile des amphitryons.

Commerçant, encore frappé par les stigmates des marchands du Temple, je n'étais pour cette caste supérieure qu'un paria tamoule tout juste bon à faire le chauffeur et avec qui on ne se commet pas, ne serait-ce que le temps d'un dîner.

Peter Townsend, pourtant familier du subtile protocole des palais de la Couronne, fut affligé de découvrir la rurale étiquette des mangeurs de grenouilles d'Outre-Manche.

Son importance le gonfla comme une outre. Seul représentant français à l'assemblée générale de la Fédération internationale des libraires qui se tenait à Francfort, le président venait de proposer à la France le prochain congrès international des jeunes libraires.

Il s'engagea sur-le-champ et son accord fut salué comme il se doit, par une salve d'applaudissements. Il faillit éclater.

Ce n'est que dans l'avion du retour qu'il mesura sa légèreté et s'en alarma. En posant le pied sur la terre de France, il choisit de tout oublier.

Quelques mois avant le jour de l'inauguration, l'organisation internationale me demanda, j'étais nouveau président, l'état d'avancement du dossier. La politique de l'autruche a ses limites, devant une situation désespérée je ne pouvais être que le dernier recours et c'est ainsi que Saint-Étienne eut l'honneur de recevoir dans l'urgence ce congrès international des jeunes libraires.

André Chamson, académicien et président de l'Association pour la diffusion du livre français à l'étranger en fut l'invité d'honneur.

Je m'autorisai à téléphoner à Jean Guitton pour l'informer de l'événement qui devait se dérouler dans sa ville natale, et pour lui dire combien serait appréciée par les jeunes libraires la présence d'une personnalité de sa stature.

« André Chamson est invité ? Parfait, il représentera fort bien l'Académie. Tout seul. »

Au dîner officiel de ce congrès, c'est en patois cévenol que Jean-Pierre Chabrol, avec une insolence mûrie sous les pavés des barricades, apostropha le parrain emblématique du congrès : André Chamson.

Il prenait ainsi l'option de montrer aux congressistes des 18 pays invités, comment l'intelligentsia soixante-huitarde française s'offrait le plaisir de chatouiller les oreilles d'un « Maître » de l'Académie française.

Une gêne réprobatrice plomba son intervention : elle soulignait que la société provinciale n'avait pas viré sa cuti contestataire et qu'elle attendait une réplique cinglante de celui qu'elle avait choisi pour champion : le pensionnaire du quai Conti.

André Chamson se leva, attendit, en habitué des grands-messes littéraires, que le silence s'installe, le laissa s'enfler et, en deux phrases inattendues dans la bouche d'un défenseur émérite de la langue française, s'offrit un triomphe : elles aussi étaient martelées en patois des monts d'Aubrac.

Certains vont au match de football avec leur progéniture, mon père m'emmenait au syndicat. Quand s'achevèrent mes années de jeunesse, j'avais dans les jambes un long parcours d'assemblées générales dont une en pantalon de golf entre l'écrit et l'oral du bac, et une autre à l'occasion de ma seule permission militaire, en chasseur alpin (je partais dans la nuit pour le Vorarlberg).

Président du Syndicat national de la librairie scientifique et technique, mon père continua à me faire profiter de ses sorties syndicales parisiennes.

Dans les réunions, les congrès, les soirées, avec une constance que le temps n'altéra jamais, il me présentait à ses amis éditeurs et libraires, renouvelait ce cérémonial dans l'infini des cocktails et des rencontres professionnelles.

Je m'étais fait un prénom dans les allées tortueuses de la profession depuis bien longtemps, que toujours, avec la même et inlassable obstination, il rappelait ainsi au bon souvenir des uns et des autres, celui qui se préparait à lui succéder :

« Je te présente mon fils.

– Mais, Louis, ça fait deux ans qu'il est mon président ! »

Je fus un des premiers libraires de province à ouvrir un magasin dit « de livres à prix réduit ». C'était en 1972, quinze ans environ avant le développement des Maxilivres. Cette technique, les libraires du 6e arrondissement la pratiquaient sur les trottoirs des boulevards Saint-Germain et Saint-Michel depuis toujours (ou presque). L'important était de savoir acheter, d'évaluer d'un coup d'œil, parmi les ouvrages en solde, les titres que l'on pouvait espérer vendre par dix, cent, mille exemplaires, et avoir le culot d'acheter « cash » la totalité du stock.

Je venais de « faire affaire » sur un lot d'ouvrages des années quarante, livrés dans leur emballage d'origine. En ouvrant les colis à leur arrivée à la librairie, stupeur ! L'un deux était empaqueté dans l'affiche du Général de Gaulle, l'affiche du 18 juin 1940 : « À tous les Français, la France a perdu une bataille, la France n'a pas perdu la guerre... » Émotion intense, coup au cœur, j'en tremble encore...

À quelques jours de là, Henri Amouroux anime un débat à Saint-Étienne sur la Seconde Guerre mondiale. Je lui demande des précisions sur l'histoire de l'affiche et devant une salle respectueuse de son savoir il met en doute ma trouvaille. Mortifié, je lui en adresse dès le lendemain la photographie.

J'eus le plaisir de la voir figurer dans le livre qu'il publia l'année suivante.

Chaque lundi, le bureau de la FFSL se réunissait au 117, boulevard Saint-Germain. J'y présentais souvent de nouveaux projets.

Parfois, mes amis manifestaient une hostilité motivée ; je refermais alors le dossier, leur veto confirmant mes propres doutes.

D'autres fois, ils étaient intéressés mais critiques, discutaient, modifiaient, transformaient, et on remettait sur le métier, vingt fois, notre ouvrage ébauché.

Puis, il y avait les idées qui tombaient à plat : « oh ! celle-là je ne la sens pas », mais que moi, je voyais parfaitement. Je les défendais avec fougue, malgré les vents rebelles. Celles-là, non, elles n'iraient pas au panier, à la casse, à la poubelle ! Je les retirais donc, pour les laisser dormir un peu et les ressortir plus tard, autrement, relookées, réemballées. Elles retrouvaient souvent le même accueil négatif. Je remettais une nouvelle couche d'arguments, passés à la flamme de la passion, jusqu'à ce que J. B. Daelman laisse tomber, désolé :

« Celle-là, les gars, on n'est pas près d'en être débarrassés ! » et d'ajouter : « Il y en a qui ont la peste, d'autres le choléra, nous on n'a pas de pot, on a Plaine ! »

Je sentais alors que le feu allait passer au vert !

À l'occasion d'un de nos congrès nationaux, Robert Morel nous avait offert, dans sa collection des « Petits Livres ronds », *Les Perles du Libraire.* Le collier était composé, précisait la préface, de perles authentiques et non de perles de culture.

Au cours du dîner officiel du congrès, chacun y ajoutait un rang de sa collection personnelle. « Les femmes s'en vantent » de Molière, « L'amour relève le gland » de Max du Veuzit, « L'étranglé » de Camus, « La méthode à genoux » du Docteur Oginod ou encore « Le manuel des piquent-tête ».

Personne n'évoqua le confrère qui, à un client demandant le *Journal* de Gide, s'était excusé de ne pas vendre d'hebdomadaires. On ne parle pas de corde dans la maison d'un pendu !

Je pensais, quant à moi, à un stagiaire de la librairie, étudiant, comme il se doit, à qui un monsieur d'un autre temps et d'une autre culture réclamait *Le Cid.* Il répondit étourdiment : « C'est de qui ? » et se fit moucher d'un cinglant : « Ah, non, jeune homme... quand même pas ! »

Le vieux monsieur ignorait qu'il n'avait pas devant lui un jeune libraire de profession mais une future élite de la nation, polytechnicien en herbe ou normalien en culottes courtes.

Il n'existe aucune copie de la première d'*Ouvrez les guillemets.* Bernard Pivot l'a confirmé à l'occasion des diverses célébrations de ses émissions et récemment à la dernière de *Bouillon de culture.* Relayé par Gilles Lapouge, il en a fait le récit plusieurs fois et en a donné une vision que l'image n'aurait peut-être jamais pu nous offrir. Les mythes ont besoin de mystère et la mémoire de cette émission d'anthologie passe par les chroniques de ceux qui l'ont vécue.

J'eus la chance d'être de ceux-là et j'en ai gardé le souvenir précis que seuls gravent en vous les moments d'exception. Nous étions installés autour de tables basses avec verres et boissons. Nous attendions Bernard Pivot qui, comme c'était l'usage, se déplaçait de table en table. Michel Butor, Christine de Rivoyre et moi, attendions autour de la nôtre, silencieux, inquiets aussi sans doute. Pour passer le temps et parce que, en ces moments-là, on a parfois besoin de faire quelque chose, j'eus la malencontreuse idée de porter mon verre à la bouche. Geste anodin s'il en est, mais la déglutition m'apparut tout à coup parfaitement impossible.

Et, alors que mes voisins Michel Butor et Christine de Rivoyre envisageaient derrière un apparent détachement leur intervention dont ils peaufinaient en pensée, et l'esprit et la lettre, j'étais, moi, obsédé par une évidence qui s'imposait comme inéluctable : j'allais être le premier individu à s'étouffer devant la France des téléspectateurs !

Président de la FFSL, j'avais décidé de créer en France ce qui existait déjà en Hollande : le chèque-livre (remplacé aujourd'hui par le chèque-lire). Le chèque-livre (ou lire) étant pour le livre ce qu'Interflora est pour les fleurs : une manière délicate de cadeau à distance. Pour le livre, on utilise les services de deux libraires, celui de la personne qui offre et celui du destinataire.

La difficulté de lancement résidait dans la constitution d'une chaîne de points de vente correspondants. Nous avions estimé que le réseau de départ ne devait pas être inférieur à huit cents.

La campagne d'adhésions était en plein démarrage et il fallait trouver une incitation originale et efficace : l'idée retenue fut d'envoyer à chacun de nos confrères une carte postale expédiée de mon lieu de vacances. Entre banalités et gentillesses, je glisserais quelques mots sur le chèque-livre : cette attention du président apporterait de la chaleur au projet et donnerait, c'était l'objectif, un coup de fouet aux adhésions.

Avant mon départ pour la Sardaigne, je calligraphiai un texte imprimé sur 1 600 paysages sardes à l'adresse de chacun. Arrivé sur place, il ne me resterait plus qu'à acheter les timbres, les coller et poster les 1 600 cartes. C'est dans la phase « achat de timbres » que les difficultés commencèrent ! J'épuisai d'abord le stock de l'hôtel, puis celui du bureau de poste du village le plus proche, ensuite je me rendis à Cagliari et y acquis toutes les planches de timbres permettant d'atteindre le montant de l'affranchissement désiré.

J'achetai tout, quitte à coller plusieurs timbres, dépassant souvent de plusieurs lires le montant exigé ! J'achetais, je collais, j'envoyais ! Trois jours plus tard je pouvais avertir le secrétaire général de la Fédération que ma mission était terminée et je commençais enfin à savourer mes vacances.

C'est alors que, dans le salon de l'hôtel, j'entendis deux touristes commenter leur séjour : « Ici, tout est parfait : la bouffe, la mer, la plage, l'arrière-pays, tout ! Pourtant il y a un truc, une chose incompréhensible, que ce soit à l'hôtel, au village, à Cagliari – pourtant Cagliari, c'est une sacrée ville ! – : pas un timbre ! Impossible de trouver un timbre ! Je vous mets au défi de trouver dans tout le pays un type qui ait pu, depuis huit jours, envoyer une carte postale ! »

Pendant mes quatre années de présidence à la Fédération française des syndicats de libraires, je m'étais fait un devoir d'être présent aux assemblées générales de chacun des syndicats affiliés. Je fis, dimanche après dimanche, le tour de France des régions syndicales. J'eus ainsi le plaisir de retrouver sur leurs terres tous les amis que je rencontrais régulièrement aux réunions des instances nationales à Paris et aussi de faire connaissance avec des centaines de libraires, qui suivaient avec conviction nos actions mais qui n'avaient pas la possibilité de « monter » à Paris pour participer aux débats du 117, boulevard Saint-Germain.

Chaque président s'efforçait, lors de ma visite, de donner du corps à son assemblée générale, souvent en invitant une personnalité locale d'envergure.

C'est ainsi que Louis Cêtre, président du Syndicat des libraires de l'Est avait invité au déjeuner Edgar Faure, alors député du Doubs. J'ai conservé le morceau de nappe (en papier) sur lequel celui qui fut président du Conseil, président de l'Assemblée nationale et, après mai 68, ministre de l'Éducation nationale, avait noté le plan de son intervention. Edgar Faure était accompagné de sa femme Lucie : elle venait de publier chez Grasset un bon roman, *Mardi à l'aube*. Le président était très attentif à l'œuvre de sa femme et m'avait posé de nombreuses questions sur la promotion et la diffusion des livres.

Le président de la République de cette époque, Georges Pompidou, invitait régulièrement, une fois l'an, les écrivains et les professionnels du livre. Quelques semaines plus tard, Edgar Faure m'abordait dans un salon de l'Élysée : « À propos, pour le roman de Lucie, ça serait quand même pas mal s'il pouvait y en avoir une pile sur la caisse de tous les libraires ! »

Chaque mois, la FFSL publiait *L'Officiel de la Librairie*, revue professionnelle et syndicale, qui s'ouvrait toujours par l'édito du président. J'eus l'honneur de le rédiger de 1970 à 1975.

Un jour, pour m'assurer de l'authenticité des compliments de quelques flatteurs : « J'attends votre édito avec impatience », j'eus l'idée d'insérer dans le corps de mon texte et au milieu d'un long paragraphe : « Bravo d'en être arrivé là, vous êtes un adhérent modèle que j'ai le plaisir d'inviter gratuitement à notre prochain congrès ! »

L'article publié, je fus pris de panique en pensant à mon trésorier que je n'avais pas prévenu ! Et si j'allais « faire sauter la caisse » !

J'avais bien tort de m'inquiéter, il n'eut à offrir qu'un seul congrès !

Arroseur à la peinture rouge du ministre de la Culture André Malraux, braqueur de la Société Générale de Nice avec un fusil à canon scié et pour 10 francs, il s'honora d'avoir rendu sa fonction première à l'urinoir de Marcel Duchamp et débanalisa les SDF en jouant les Diogène à poil, rue de la République à Lyon.

Ce roi du happening, c'est Pierre Pinoncelli, qui dédicaçait à la librairie.

Au petit réveil, j'aurais aimé être au lendemain. À 17 heures, sur le pas de la porte, je lorgnais avec angoisse le coin de la rue. À 17h15, je sus que sur l'échelle de Richter des extravagances, on était largement en dessous de la cote d'alerte : il venait d'arriver, presque BCBG, seulement chapeauté d'une perruque bleu roi de farces et attrapes.

Je pouvais, avec sa tribu stéphanoise et ses amis, savourer la journée au présent, les regrets seraient pour demain : on ne pisse pas tous les jours dans le tabernacle de l'art contemporain.

Pour un coup de tonnerre, ce fut un coup de tonnerre ! La FNAC ouvrait sa première librairie à l'ombre de la tour Montparnasse avec le plus beau stock de Paris, assorti d'une remise de 20 %. La mort programmée de la librairie française était en marche. L'ensemble de la presse littéraire en fit ses choux gras. Bernard Pivot y consacra un *Ouvrez les guillemets* ; le seul jamais réservé à un sujet économique.

Sur le plateau ce jour-là : André Essel, l'un des deux fondateurs de la FNAC, Robert Laffont, Henry Troyat, Pierre Béarn, chef de file des libraires hétérodoxes, et moi-même qui représentais les autres (que la FNAC chiffra elle-même à dix-huit mille détaillants).

Dans cette émission, chaque mot allait être disséqué, épluché, analysé, critiqué. Je l'avais donc préparée longuement, assisté de mon conseil en communication : Georges Chetochine. Son analyse était on ne peut plus simple : Essel était un redoutable débatteur. Aguerri par de nombreuses années de secrétariat national d'un organisme militant, il me dominerait dans la dialectique ; de plus, son projet était inattaquable : la librairie annoncée serait la meilleure de Paris et la moins chère. En face, nous n'avions que notre bonne mine, notre compétence et notre amour des livres. Mais André Essel, c'était notre chance, pouvait perdre son sang-froid, ça s'était déjà vu.

Je devais donc lui poser une question perfide, ce que je fis bille en tête.

« Avec votre nom, vous ne pouvez que voler bien bas », me lança-t-il, furieux, en guise de réponse. Oubliant tous les avantages qui les attendaient rue de Rennes, les téléspectateurs prirent alors en pitié les milliers de petits libraires à l'agonie agressés par une multinationale dont le patron va jusqu'à railler le patronyme de leur président.

Quarante ans plus tard, André Essel avait toujours cette émission en travers de la gorge et dans *Jours de FNAC*, le livre qui célébrait les 40 ans de son entreprise, il consacrait deux pages aux quatre « têtes de Turc » de sa carrière (Léon Gingembre, Jack Lang, Jérôme Lindon et Jacques Plaine) et réservait tout l'espace qui m'était destiné à cette fameuse émission pendant laquelle, quarante ans plus tôt, il lui avait simplement manqué un zeste de pondération.

Pendant près de dix ans, Radioscopie fut l'émission vedette de France-Inter. C'était au bon temps de l'ORTF et chaque soir, de 17 à 18 heures, Jacques Chancel, question après question, mettait à nu une personnalité du microcosme parisien.

À l'occasion d'un Congrès national de libraires, que je présidais, il eut l'idée, flatteuse pour mon ego, de m'y inviter.

Notre femme de ménage, qui était dans tous les secrets de nos faits et gestes, eut ce mot définitif et sans appel : « Avant, la radio n'interviewait que des gens célèbres. Maintenant, c'est vraiment n'importe quoi ! »

À l'occasion de la sortie en librairie des *Noisettes sauvages*, nous avions organisé une séance de signature qui restera l'une des plus mémorables de notre florilège.

Dans la première édition de son ouvrage, Robert Sabatier faisait avaler à l'un de ses personnages un godet d'« eau sédative », comme on s'enfile un verre de gnôle.

Le soir, en guise d'apéritif, je lui en servis une rasade : découvrant que cette potion parfaitement imbuvable était à mi-chemin entre le Synthol et l'alcool camphré, il voulut joindre immédiatement son éditeur pour exiger, toute affaire cessante (c'était un samedi et l'heure du couvre-feu avait sonné depuis longtemps), que soit imprimé un erratum à diffuser sans délai à l'ensemble du réseau libraire.

Notre maison de campagne a été cambriolée dix-sept fois, score honnête, pour une ferme isolée.

Si tous les vols ont été empreints d'une semblable banalité, l'un d'eux fut plus pimenté, non parce que les cambrioleurs se sont emparés du système d'alarme, mais parce que, ce jour-là, Maurice Denuzière dédicaçait son dernier roman à la librairie.

Dans l'euphorie du cocktail organisé à son intention, j'avais eu l'imprudence de parler de l'événement avec détachement : « Devinez ce qu'on vient de me voler à la campagne ?... Ma sirène d'alarme ! »

Ce n'était pas une première, puisque l'installateur d'un matériel identique, mais au magasin, s'était fait dérober sa caisse à outils alors qu'il était en haut de l'escabeau.

Trouvant l'incident à son goût, le journaliste annonçait sur six colonnes, et la dédicace de Maurice Denuzière, et le vol, en précisant le nom du village de ma maison de campagne.

Je dois avouer qu'il ne se passa rien, calme plat sur la commune, les jours suivants. Preuve que le combat pour le livre, la presse et la lecture n'est pas gagné ou que les voleurs ne lisent pas les pages culturelles !

Et c'est sans rancune que, chaque mois, j'organise une rencontre entre un auteur et des détenus de la maison d'arrêt de la Talaudière !

1976 : C'était la toute première des Fêtes du livre et elle se déroulait au jardin des Tuileries. Elle se situait entre deux autres manifestations, toutes les deux organisées par Yves Mourousi dans ce même jardin : la Fête du cirque et la Fête de l'armée.

Pour la Fête du livre, tout était en place sauf un élément important, capital même : je n'avais pas l'autorisation indispensable qu'aurait dû me délivrer la Direction des Monuments historiques. Toutes mes démarches restaient vaines, le directeur de cette prestigieuse institution restait sourd à ma demande.

Le temps pressait : la Fête devait être inaugurée par le ministre de la Culture dans les dix jours et je n'avais toujours pas ma réponse !

Sachant que Yves Mourousi était aux Tuileries pour préparer la Fête du cirque, je décide de le rencontrer. Je le trouve devant le chapiteau en tenue de Monsieur Loyal !

« Vous n'avez pas votre autorisation ? Moi non plus ! Et pourtant je suis là. » Cape au vent, haut-de-forme à la main, d'un geste large et théâtral, il me montre combien il a pris possession de l'espace, depuis l'Arc de Triomphe du Carrousel jusqu'à la place de la Concorde.

Rassuré, je retourne mettre en place les derniers préparatifs de cette première Fête. Elle se déroule sans autres difficultés juridiques et, bien sûr, sans autorisation.

Quinze années passent. Yves Mourousi me fait l'amitié de participer à la 10e Fête du livre de Saint-Étienne.

Échanges de souvenirs...

« En 1976 aux Tuileries, quand tu m'as confié que, toi non plus, tu n'avais pas l'autorisation des Monuments historiques, tu ne peux pas imaginer mon soulagement et le réconfort que tu m'as apporté. »

Alors Yves Mourousi avec un grand sourire :

« Je vais t'avouer un truc, moi, cette autorisation... je l'avais ! »

Pour cette première Fête du livre, Bernard Pivot réalisa, sur place et en direct, une émission d'*Apostrophes*. Guy des Cars, pionnier avec Henry Flammarion et Yves Mourousi des Fêtes aux Tuileries, en était l'invité d'honneur. Sentant pointer un zeste d'hostilité chez ses chers confrères, il repoussa, au dernier moment, l'invitation.

Bernard Pivot choisit un nouveau thème ; la CGT du livre menaça d'investir le plateau ; Yves Mourousi convia sa délégation au journal de 13 heures et l'émission de Bernard Pivot se passa sans incident. Le lendemain, je fus moi aussi l'invité du Journal pour y présenter la Fête. La chaleur, pendant ces trois jours, était accablante, la poussière insupportable ; les pompiers de Paris, avec leur grosse pompe, vinrent nous apporter fraîcheur et humidité, en contrepartie, bien entendu, de quelques minutes au journal télévisé.

José Artur qui, lui aussi, avait déplacé toute l'artillerie de son *Pop-Club*, nous consacra pendant les trois jours ses deux heures d'émission quotidienne.

Paul-Louis Mignon et François Gonnet créèrent, quant à eux, et avec la FFSL, le premier prix Livre Inter.

Nous eûmes aussi quatre lignes et demie dans le journal local.

En 1977, changement de décor, la Fête ne doit compter que sur nous-mêmes. Une seule solution : chercher dans Paris l'emplacement idéal, le jardin des Tuileries ne pouvant nous accueillir une seconde fois.

Après avoir fait le tour des lieux mythiques : Champ de Mars, Esplanade des Invalides, Champs-Élysées... c'est le quartier du Centre Georges-Pompidou qui rallia les suffrages de tous mes amis.

Mon contact, le fonctionnaire de la galaxie Beaubourg, était jovial, convivial et pourvu d'un bel appétit. Dans un restaurant auvergnat aux spécialités pour laboureurs, il me promenait de déjeuner en déjeuner sans que mon dossier n'avance d'un sillon... À deux mois de l'inauguration, il fallut me rendre à l'évidence : ce Gargantua du Gévaudan n'avait aucun pouvoir sur sa hiérarchie. Il était urgent de repartir à zéro.

J'appelai Lucien Neuwirth à mon secours et au chevet de la Fête.

Le lundi suivant nous passions la matinée à la Mairie de Paris ; à midi le dossier était bouclé. La deuxième Fête du livre aurait bien lieu devant Beaubourg sur la place Edmond-Michelet où elle fut programmée jusqu'en 1979.

C'est ainsi que prit fin ma cure d'aligot chez les bougnats de Paris.

Si, pour cette première, nous avions reçu Michel Guy, ministre de la Culture et Alain Poher, président du Sénat, la seconde accueillit Jacques Chirac et Sophia Loren, mais la vedette cette année-là fut pourtant Aguigui Mouna.

Ferdinand Lopp des Boulevards, funambule des mots tordus, tribun cyclo-anar, Mouna était le Seigneur de l'esplanade pompidolienne de Beaubourg. Reconnu comme tel par les saltimbanques et autres cracheurs de feu de la place, il en était la mascotte, le porte-bonheur et le fétiche. Lorsqu'il découvrit sur son territoire les intrus qu'étaient les éditeurs, auteurs et libraires, son ire fit s'entrechoquer sa batterie de pin's et il s'employa à nous renvoyer sur nos terres du boulevard Saint-Germain. Il s'installait devant le stand d'un écrivain, certains, comme Jean d'Ormesson, avaient sa préférence, et captait la foule des curieux par un discours de tribun du pavé des Halles. La maréchaussée mandée d'urgence l'emmenait illico... Quelques instants plus tard, il réapparaissait, plus provocateur que jamais !

Ce furent trois jours de combat, suivis d'une période au cours de laquelle il fallut apprendre à se connaître pour préparer la Fête de l'année suivante. Nous fûmes des clients assidus des bistrots du quartier et, en 1978, il eut la délicatesse de varier ses plaisirs et ses victimes. Il allait d'un stand à l'autre apporter la valeur ajoutée de sa contradiction tapageuse On ne fit plus appel à la maréchaussée : la paix était à portée de main.

Trois ans plus tard, lors de l'inauguration de la première Fête du livre de Saint-Étienne, il était là, sur les marches de la mairie, superbe et impertinent. Personne ne crut qu'il s'était convié tout seul. Pourtant, quand un tel oiseau vous tombe du ciel, ce ne peut être qu'un bon présage.

Je sus alors, dans une fulgurance de bonheur, que notre Fête serait la plus belle !

Aux Tuileries comme à Beaubourg, pas de subvention. Pour que vive la Fête, une solution : trouver des idées à la marge pour mettre en place des prestations inaccessibles par des moyens ordinaires.

Pour le gardiennage, par exemple, limiter la surveillance aux seules heures de fermeture. Christian Blanc, alors jeune étudiant qui consacrait ses loisirs à la librairie, était venu à Paris et passait ses nuits dans un des chapiteaux. De ce PC précaire, il effectuait des rondes régulières sur l'ensemble de la Fête.

Au milieu de la nuit, à mon hôtel, coup de téléphone.

« Ici, police. On vient de découvrir sur votre Fête un individu qui se dit chargé de la sécurité, il n'a ni badge ni ordre de mission.

– Ne me dites pas qu'il se nomme Christian Blanc et que vous l'avez embarqué au poste ?

– Exactement !

– Qui garde la Fête, maintenant ?

– Personne... Mais si vous voulez on peut le ramener. »

Grâce à la rentrée des classes, d'octobre à janvier, les libraires dits « classiques » peuvent regarder leur banquier dans les yeux.

Cependant, pour faire tout à la fois les vendanges et les moissons, il n'est pas question d'oublier sous la treille la moindre grappe, dans les chaumes le moindre épi. Le libraire spécialisé en livres et fournitures scolaires doit activer ses neurones, afin d'élaborer les plans les plus efficaces pour attirer chez lui l'ensemble de la clientèle potentielle de la ville.

En quarante rentrées des classes, deux trouvailles largement imitées par la suite m'ont laissé un souvenir plus épicé :

La première consistait à faire coller, dans la nuit précédant la rentrée, des papiers découpés en forme de pied sur les trottoirs de tous les lycées de la ville. Ces pieds, imprimés au nom de la librairie, étaient orientés dans la direction du magasin où ils étaient censés diriger les pas des lycéens. Le matin du jour J, quand je vis cette multitude d'empreintes multicolores qui avaient envahi les rues de Saint-Étienne, j'eus comme un vertige et la certitude d'avoir eu la main (si l'on peut dire) un peu lourde. Anxieux, je m'attendais à une réaction violente des proviseurs, des censeurs, des principaux, du maire, des cantonniers, de la police urbaine... Rien. Je pus, en revanche, regarder mon banquier dans les yeux plus longtemps que les autres années.

La deuxième initiative digne de souvenir était de faire survoler, le jour de la rentrée, les lycées et collèges par un petit avion tirant dans le ciel une immense banderole au nom de la librairie. À chaque passage au-dessus du magasin, je me précipitais dans la rue pour jouir du spectacle. Ce qui me valut cette question saugrenue d'un client pointant son doigt vers le coucou : « Vous étiez au courant ? »

Je traverse l'existence sur six pattes, les deux miennes et les quatre de mon chien. Pas toujours le même, hélas, puisque les vies du maître et de son compagnon ne sont pas programmées pour une égale durée.

J'ai eu pendant dix-huit ans, un setter-gordon noir et feu. L'éleveur me l'avait vendu à une unique condition ; c'était un chien de chasse, je devais m'engager, sur l'honneur, à le faire chasser. J'avais juré.

À partir de ce jour, équipé de l'Hammerless à poudre noire de mon arrière-grand-père, je me fis un devoir d'abattre beaucoup de kilomètres et parfois un peu de gibier, pour satisfaire les instincts de mon compagnon et être en règle avec moi-même.

Un lundi, le chien, épuisé par un dimanche de quête au bois et au marais, somnolait au premier étage de la librairie. La tête posée sur le rebord de la mezzanine, il observait la porte d'entrée avec l'espoir de voir apparaître un confrère ou mieux encore une consœur. Ce fut une dame qui entra. Elle leva la tête, l'aperçut :

« Monsieur, quand je vois une malheureuse bête ainsi enfermée, je ne sais ce qui me retient de vous dénoncer à la SPA ! »

Ulcéré, j'ai cherché la réponse qui blesse :

« Madame, mon chien a chassé tout le dimanche, aujourd'hui il rêve au gibier qu'il a tué hier, car on a tué, madame, comme des fous. »

La porte claqua, telle un coup de fusil.

Un chien dans la force de l'âge vit sa vie : il traverse la ville en prenant les passages piétons au feu vert, ouvre les portes, se fait une bouffe dans la poubelle du voisin, va aux putes, course le chat de la concierge, c'est du moins ce que faisait Quayros, mon setter-gordon.

Au temps de sa prime jeunesse, tout avait commencé différemment : entre autres corvées, j'étais d'astreinte pour « faire pisser le chien ». Nous habitions au Lycée d'Alembert, à Bellevue, et dès la première heure il me sembla impératif de rentabiliser culturellement ces promenades quotidiennes et nocturnes.

En phase opérationnelle dans le parc des « deux lycées », il m'apparut que constellations, étoiles, nébuleuses et planètes m'étaient totalement inconnues. J'avais découvert mon champ d'action : j'allais utiliser mon heure de garde à découvrir le ciel.

Couché sur la pelouse, une carte de l'abbé Moreux sur le ventre et une lampe de poche en main, je commençai mon initiation. À la seconde séance, alertés par la direction du lycée voisin, deux policiers jaillissent d'un fourré. Ils s'emparent de ma carte du ciel, l'étudient, exigent mes papiers d'identité, décryptent mon pedigree de libraire et repartent silencieux et perplexes.

Rendez-vous manqué du livre et de la maréchaussée...

Manufrance ne fut pas la seule affaire qui occupa mes années de tribunal. Moins médiatisées, mais entourées du même cortège de souffrances, d'autres sociétés ont habité pendant onze ans mon quotidien de juge-commissaire. La première visite, qu'avec le syndic, nous rendions à l'entreprise en difficulté, était à chaque fois l'occasion pour son personnel d'organiser un comité d'accueil musclé ; il montrait ainsi sa force et sa volonté de peser sur les décisions futures.

Dans le quartier Jacquard, une usine textile de deux cents ouvrières se préparait à nous recevoir selon ce protocole immuable, mais avec une originalité singulière : le personnel était entièrement féminin, le jean n'était pas encore de mode et la robe se portait largement au-dessus du genou.

À notre arrivée, les deux cents ouvrières étaient là : étendues dans le couloir, jambes allongées. Il y en avait de fuselées, de musclées, de style Louis XV, d'araignée, d'allumette, de lavandière ou de Blue-Bell girls. Une encyclopédie vivante répétée à l'infini d'un palais des glaces de la gambette ; quatre cents jambes que nous devions franchir sous « un carnaval de lazzis », comme le disait Barrès. La progression fut longue et périlleuse, certains pieds traînant sournoisement à la recherche de l'incident, voire de l'accident.

Les années ont passé, mais j'ai toujours bien présente cette vision que j'imagine sortie du grand in-folio de Dante illustré par Gustave Doré, sans bien savoir si je dois le placer dans *L'Enfer* ou dans *Le Paradis*.

Au plus fort de l'affaire « Manufrance », retenu avec le président du tribunal de commerce à une réunion qu'on disait importante, il me fut impossible d'assister aux obsèques d'un ami très cher.

Quelques jours plus tard, je demandai à ma mère une idée de cadeau pour mon père, et elle me répondit : « Que tu lui parles un peu. »

J'eus tout à coup conscience de traverser la vie comme un abruti.

Ni à la cave ni au grenier, pas plus qu'au garage, c'est dans la chambre, à l'intérieur d'un placard conçu à son intention, que dormait mon beau vélo.

C'était le bijou sur mesure dont le rêve d'achat avait illuminé des années d'attente fiévreuse. La sélection de chaque pièce avait été le fruit de débats avec les maniaques les plus experts. Le sieur Baroumas, seigneur de la belle bécane, m'avait fait réfléchir non seulement sur les cotes, les matériaux, les développements, les braquets, mais encore sur le choix de l'orfèvre-artisan qui retaillerait la selle, sur celui qui collerait le cadre, celui qui braserait la fourche. Il avait fait intervenir le ban et l'arrière-ban de ses relations personnelles pour que ces princes de la passion cycliste exercent leur art avec le supplément d'amour qu'ils ne distillent qu'exceptionnellement, à la fine fleur d'une élite de privilégiés.

Après qu'un rail du tramway eut mis ma roue avant « en portefeuille », je dus la lui reporter pour réparations.

Un cycliste quelque peu attentif à son matériel n'envisage en aucun cas de laisser longtemps son vélo piqué sur la fourche ou, pire, retourné en équilibre sur la selle et les cocottes de freins. Je le déposais sur le lit et, parce que le guidon se refusait à rester dans l'alignement, je le calais d'un petit oreiller.

J'ignorais qu'une « chose », un objet jusque-là seulement couvert d'opprobre et de mépris, puisse prendre, pour quelques instants d'abandon dans la soie, la plume et le duvet, le statut de rivale de chair et de sang. Mon beau vélo retrouva d'un seul coup d'un seul, la nuit de son placard.

En attendant les barbares

1981-1991

LIBRAI
VOTRE LIVRE MARCHE TRÈS FORT. C'EST LA PREMIÈRE FOIS QUE JE SUIS DÉVALISÉ
PIEM

Pendant quarante ans, mon père et moi avons eu nos bureaux côte à côte, au premier étage de la librairie. Les vingt premières années, montrant le mien rigoureusement rangé, je me désolais, critique et agacé, jeune chien donneur de leçons, de l'ordre relatif qui régnait sur celui de mon père.

« Tu verras, quand arriveront sur ton bureau les moutons à cinq pattes : les demandes de prix sans références, les commandes à des éditeurs inconnus, les réclamations infondées, les demandes de lots pour des tombolas, les livres défectueux à réexpédier au bout du monde, les manuscrits de bons clients à la recherche d'un éditeur, les mêmes qui souhaitent un petit boulot de vacances pour leur rejeton...

Je répliquais par des solutions YAKA... Puis vint un jour où nous avons inversé les responsabilités, j'étais PDG, lui retraité actif, mais nous avions conservé les mêmes bureaux. Celui de mon père devint impeccablement lisse : recouvert d'une vitre sous laquelle étaient disposées les photos du passé de la librairie : belles vitrines, grandes dédicaces, animations mémorables... Le mien, en revanche, prit des allures de champ de bataille.

Quelques années plus tard, un producteur de France 3 vint tourner un « 23 minutes » sur l'entreprise :

« Demain avec mon équipe, je filmerai quelques plans de votre bureau... Super... Surtout ne touchez à rien... N'allez pas me le ranger... Je le veux tel qu'il est... Des comme ça on n'en voit pas tous les jours ! »

Mon père était sourd. Mais d'une surdité sélective et appareillée. À voir bouger ses oreilles je crains que ce jour-là, son Sonotone n'ait été équipé de piles neuves.

Ils étaient deux Sanguinetti, l'un Alexandre, ancien ministre et compagnon du Général, l'autre Antoine, amiral et proche de François Mitterrand.

Tous deux avaient pris la plume et choisi notre librairie pour y dédicacer leur livre, le premier en 1976, le second en 1981.

Le jeune journaliste stagiaire, envoyé pour couvrir la prestation de l'Amiral, ignorait que comme les deux Corneille, les deux Dumas voire les deux Daudet, les deux Guitry ou les deux Bazin, les Sanguinetti faisaient la paire !

Après l'interview qui avait mis Antoine d'excellente humeur, celui-ci clamait à la cantonade : « Ce garçon m'a pris pour Alexandre, je l'ai laissé s'enferrer jusqu'au bout !... C'est le tarif quand "ils" ne lisent même pas la quatrième de couverture. »

Le vol est le mildiou de la librairie, son phylloxera, son cancer. Depuis toujours la profession souffre, peut-être de marges insuffisantes mais aussi du bénéfice dévoré par la « Démarque inconnue ». Appellation noble et discrète pour désigner « la Fauche » ! Mais qui se cache derrière cette gangrène ?

De longues années de pratique m'ont enseigné que ces faucheurs de livres sont notre clientèle naturelle, celle qui aime le livre et son libraire, celle qui brocarde les grandes surfaces et leurs best-sellers en têtes de gondoles. C'est celle qui chante *Le Voleur de livres* de Mouloudji, qui se vante « d'en avoir piqué quelques-uns dans sa jeunesse », qui ferme les yeux aux indélicatesses aperçues au détour d'un rayon, celle aussi qui trouve astucieux le juriste tamponnant du cachet de « L'étude de Maître X » un ouvrage de droit qu'il sort, ensuite, impunément du magasin, celle encore qui sourit avec indulgence de tel collègue dont le manteau a été conçu spécialement avec dix poches dans la doublure.

Ces anecdotes ne sont pas des fantasmes de boutiquier, de tourmenté de la rapine, de phobique de la cambriole, d'obsédé de l'arnaque, non, elles sont notre quotidien à nous autres libraires.

J'ai évalué à 150 tonnes le poids des livres qui se sont ainsi envolés (si l'on peut dire !), pendant nos soixante-dix ans de métier. On ne les a pas retrouvés dans les gravats de « la muraille de Chine » ! Je le regrette, j'aurais eu l'impression d'avoir apporté ainsi une pierre au combat contre l'illettrisme. Il n'y a plus d'espoir : on ne dynamite pas les beaux quartiers !

« Tu m'emmerdes à toujours faire l'andouille sur ton vélo » : Paul Fournel raconte dans *Besoin de vélo* qu'après ce constat balancé comme une gifle, il eut la cuisse recousue à vif par le médecin que ses frasques vélocipédiques de gamin excédaient.

« Avec ton foot, tu ne rateras jamais une occasion de nous emmerder », fut la remarque cinglante, telle un coup de fouet, qui m'accueillit à l'hôpital alors que, à 50 ans, mes copains du Rotary m'avaient éclaté la cheville. C'était un dimanche matin. Je rentrais en salle d'opération et venais de téléphoner à ma femme responsable de lycée que, suite à un tacle appuyé, j'allais subir une intervention chirurgicale, bénigne certes, mais qui laissait prévoir un mois ou deux de déplacement sur un pied.

Il est étrange à quel point un médecin de campagne ou un proviseur de lycée, gens de bonne réputation et renommés de sang froid, peuvent perdre leur contrôle face à de banals débordements de galopins.

À l'heure où les lions vont boire, les dîners en ville passent au salon. À ses invités, le maître de maison offre ses alcools blancs, son épouse propose un tilleul-menthe ou un petit déca.

Si les conversations en profitent pour se traîner et s'éteindre, madame les ranime avec les problèmes du moment. Pendant la dégustation des huîtres, on avait abordé le problème des ostréiculteurs, au gigot celui des éleveurs et des bouchers, au dessert la guerre du chocolat. L'heure des libraires arriva enfin : commerçants pas comme les autres, ils auront droit aux honneurs du salon.

« J'adore les livres, j'ai toujours rêvé d'être libraire, j'aurais pu lire toute la journée.

– Je suis comme vous, chère amie, si je gagne au loto, j'achète une librairie.

– Si je ne t'avais pas épousé, je serais libraire, lance à son mari qui venait de lui offrir une Mercedes décapotable, un chalet à Courchevel et une villa à Cannes, une aimante un peu Bovary.

À l'heure où les lions vont boire, s'écoulent ainsi, « plats comme des trottoirs de rue », les dîners en ville.

Dans sa boutique du rez-de-chaussée, le libraire passe ses dernières commandes, encore un coup d'œil à son découvert, à la presse littéraire, à *Livres-Hebdo* et il pourra se mettre au lit et s'endormir sur le manuscrit d'un bon client.

Arsinoé était, dans les années quatre-vingt, la vedette d'une émission pour enfants sur TF1. Avec sa tête de Mickey à petites oreilles et sa crinière blonde en balai-brosse de caravane publicitaire, elle représentait un hérisson. C'était une marionnette de taille humaine, dans laquelle se glissait, comme dans un costume trop étroit, un baladin du beau sexe, dont les mensurations ne devaient pas dépasser celles d'un jockey sous-alimenté.

Elle était la mascotte des cahiers de devoirs de vacances Magnard. Louis Magnard me l'avait confiée, à charge pour moi, de lui organiser un programme médiatique et, bien entendu, de trouver une comédienne adaptée à son anatomie. Ce dernier point était une sacrée gageure car enfermer une mini-femme dans l'espace réduit conçu pour l'accueillir demandait un excellent carnet d'adresses et beaucoup de persuasion.

Après un happening devant la librairie à l'occasion de la dédicace d'Yves Mourousi, une participation à la fête des écoles de Saugues, elle devait donner le départ d'une course de boîtes à savons, plaine Achille.

Tout marchait comme sur des roulettes, lorsque, à quelques minutes du coup de pistolet, mon attention fut attirée par une main baladeuse sur la croupe princière d'Arsinoé. Ma qualité de tuteur de la belle me jeta tout de go sur le beau lapin chasseur d'insectivores de carnaval ; il me regarda contrit et penaud : « Mais, m'sieur, c'est ma femme qu'est dedans ! »

Tout éditeur rêve de devenir écrivain, tout écrivain, éditeur, et tout libraire, écrivain ou éditeur. Chacun souhaite s'éclater dans un ailleurs pas très lointain. Le prix Goncourt attribué à Jean Rouaud est l'honneur de la librairie française, le Fémina à Yves Berger celui de l'édition d'aujourd'hui. Modestement j'avais envie de faire quelques pas sur la grand-route de l'édition.

Prenant mon courage et mon bâton de pèlerin à deux mains, je lançai une collection de guides de promenades dans le Pilat. Mon père les illustrait – c'était son plaisir – Ito Josué photographiait des paysages de forêts pour les maquettes de couvertures, quelques amis se chargeaient des textes et comme le mauvais génie des réglementations n'avait pas encore soufflé au fond des bois, les uns et les autres, pinceau en main, balisions les sentiers.

Un beau jour férié, entre le « Rot » et le « Saut du Gier », je me trouve nez à nez avec un marcheur aux prises avec mon topoguide. C'était dans un de ces layons qui naissent et s'étiolent au gré des charrois de bois et dont le seul mérite est de pimenter un peu les balades des promeneurs du dimanche.

Dans nos forêts au relief tourmenté, on a vite perdu le nord sans pour autant avoir trouvé son cap ; ce marcheur était là, sac au pied, guide en main, en attente d'assistance.

« Excusez-moi, malgré mon livre, je suis perdu !

– Ce livre justement, c'est moi qui l'ai édité et je suis aussi perdu que vous ! »

Il m'a regardé, perplexe, égaré dans les sapins et trahi par la fuite subite de ses repères.

Il était égoutier et les livres illuminaient sa vie. Il les aimait d'un amour qui interdisait à l'argent d'en réglementer le cours.

Chaque début de mois, il déposait quelques billets sur son compte ouvert à la librairie et le samedi, c'est l'esprit dégagé qu'il venait à la rencontre de ses futurs compagnons : aucun nuage ne ferait d'ombre à sa parade avec les livres.

À la fin de sa promenade, au gré des présentoirs, des tables d'exposition et des rayons, il montrait au vendeur ses élus et avec eux rentrait chez lui.

Il connaissait tout du Saint-Étienne souterrain, de ses fondations, des soubassements qui expliquent l'architecture et l'urbanisme d'aujourd'hui.

Le rayon universitaire était son royaume. Personne ne fit jamais appel à son savoir.

L'édition de cette collection de guides m'imposait des tournées de mise en place dans les points de vente de nos montagnes. Pas de vraies librairies, mais des magasins de proximité qui permettaient au livre d'être présent loin de ses cathédrales.

« Voici un petit guide de promenades qui intéresse tous les marcheurs de votre commune.

– Encore un livre ! » se lamenta le « pas tout à fait libraire » qui m'éconduisit poliment.

Quand le boulanger – autre rare commerçant du village le plus touristique de l'arrondissement – m'en acheta 100 exemplaires, mes chromosomes de libraire commencèrent à avoir les gènes moroses.

Dans la petite ville proche, visite à un autre « pas tout à fait libraire », il regarde le guide avec intérêt, le tourne, le retourne, étudie la quatrième de couverture, la table des matières :

« J'en prendrais bien un, mais il faut que je demande à ma femme. »

J'ai tout à coup conscience de n'avoir pas les qualités requises pour être représentant.

De l'autre côté de la rue, rencontre avec le président du syndicat d'initiative, dans son magasin « de Télévision et Électroménager ».

« Je ne pouvais pas passer dans votre commune sans vous signaler ce petit guide qui devrait plaire à tous vos vacanciers randonneurs.

– Bravo ! Bonne idée ! Enfin un livre sur notre région ! J'ai beaucoup de touristes qui s'informent ici. Pouvez-vous m'en laisser... disons... 150 ? »

Cette fois-ci mes gènes de libraire font carrément de la résistance.

Il vérifie ma facture qu'il règle sur-le-champ : il ne veut pas ouvrir de compte pour une telle bricole.

« C'est quoi ces deux prix ?

– Ça ? C'est votre prix d'achat et dessous c'est le prix de vente.

– Ah ! Parce que, en plus, vous me faites une remise ? »

La librairie, c'est une odeur, c'est aussi une musique, celle d'une farandole de bruits qui se suivent, se superposent, identifiables mais différents, autonomes mais dépendants. Il y a ceux du matin, ceux du soir, ceux du matin au soir. La barre de la porte d'entrée qui dégringole et sonne la charge de l'ouverture, les talons conquérants d'Évelyne, le bonjour sonore du facteur, le cliquetis de la monnaie qu'on répartit dans les caisses, le rire de Giselle qui salue la compagnie. C'est l'escalier métallique qui résonne et fait vibrer le vitrage du bureau : Serge doit apporter ses fiches au service des commandes, dans deux minutes, il va maugréer pour des retards de livraison. C'est une voix qui s'élève, Mme Bardotti commente le carnet du jour du *Progrès*. La porte des vestiaires claque : Marie-Claude descend faire son tour. Les brûleurs de la chaudière se déclenchent : « ils » ont encore tripoté le thermostat. Dans la rue, la porte de la camionnette coulisse et grince : M. Peyronnet et Omar rapportent du dépôt les bacs de nouveautés qui vont alimenter, et l'espace, et les conversations.

Ces musiques qui se suivent et s'entrechoquent soulignent les petits riens essentiels d'une vie paisible d'un jour ordinaire. Elles m'effleurent mais glissent sur mon attention engourdie : je suis présent mais ailleurs, immergé dans d'autres dossiers.

Puis un signal réveille ma vigilance, d'un rien le tempo a changé, tout devient différent. Un indice m'a mis en alerte, je tends l'oreille ; un murmure, un silence, une voix impatiente, un bourdonnement qui enfle, un rire insolite qui dénonce une étrangeté, une cavalcade dans l'escalier, des livres qui dégringolent, des chiens qui en viennent aux dents... Fini le travail en cours, il est temps d'aller voir, d'être dans l'action de ce qui est sans doute une futilité déjà oubliée ou peut-être un véritable incident.

Ce jour-là un chant s'élève, une vraie chorale, un chœur constitué. Il y a préméditation, j'en suis sûr. Je pointe mon nez : au rayon « lettres » un groupe d'étudiants entoure M. Peyronnet et son assistante : ce sont les khâgneux qui, en fin d'année, donnent une aubade pour les remercier de leur soutien. Émouvant : c'est un beau moment de libraire, je le vis par procuration : il est à eux, pas à moi. Je reste éloigné : il est des bonheurs qu'on ne peut goûter qu'avec une très longue cuillère.

Dans un trou d'eau brillant de lune, j'ai fait connaissance avec un braconnier du Pays de la Bête, du pays de Robert Sabatier.

Sous les étoiles, il citait *Les Noisettes sauvages*, comme d'autres, sous les ors de la rue de Valois, *Le Mythe de Sisyphe*. En gestionnaire avisé de son cheptel, il rejetait à l'eau les grenouilles femelles et, ne gardant que les mâles, préservait intelligemment son fonds de commerce ; il est des bracos meilleurs défenseurs de la nature que bien des écolos.

À quelques jours de là, je fus invité « aux grenouilles » chez des paysans amis ; autre monde, autres méthodes, autre ambiance. Rassemblement dès la nuit noire, sous les couverts d'un bois épais et constitution des équipes. Mon compagnon est un grand gaillard que je ne connais pas et nous nous retrouvons rapidement sur le lieu de pêche : il est fébrile, inquiet, angoissé : le baroudeur nouveau des Aurès est arrivé ! D'un coup je m'imagine trente ans en arrière : « Debout ! Couché ! Rampez ! Attention là-bas à droite... les phares... sûrement les gendarmes, cachez-vous derrière le sapin, dans le fossé, sous les genêts, à gauche... en bas... C'est eux ! » Le nez dans la luzerne du mont Mouchet, comme jadis dans les épineux des djebels, me revoilà bidasse ! Trois heures de crapahute d'enfer puis, pas vu, pas pris, retour pour la veillée, avec au menu les cuisses de grenouilles, pimentée d'histoires de garde-pêche, de garde-chasse, de Raboliot des temps modernes.

Très vite et discrètement mon coéquipier s'éclipse. Intrigué, j'interroge notre hôte :

« Le grand type avec moi ; c'était qui ?

– Le grand qui vient de partir ? Mais le gendarme, pardi ! »

Le lendemain au tribunal de commerce, je raconte mon histoire. Pas content du tout le président ! « Tu vois un peu la scène ? Un de mes juges et un gendarme dans le panier à salade ? »

Je la voyais très bien, la scène. C'est juste de ne pas l'avoir vécue qui me peinait un peu !

À la question : « Quel livre emporteriez-vous sur une île déserte ? », j'avais répondu sur une radio périphérique : « Un livre sur les techniques de survie. »

Cette réponse pragmatique incita un éditeur à m'expédier, dès le lendemain : *Notice provisoire de survie au combat*, réalisé par l'état-major de l'armée de Terre.

Ce livre avoisine aujourd'hui mon sac à dos et si, d'aventure, je me retrouvais « pour de bon » sur une île déserte, j'aurais en main les techniques de survie sous tous les climats et les conseils pour se forger un moral d'acier dans les situations extrêmes.

Et tout le reste est littérature...

« Les Disponibles » furent le *Dictionnaire Vidal* des libraires, comme le « Code Soleil » fut *L'Almanach du père Benoît* des instituteurs. Les « Fiches-volumes » en furent le complément naturel et indispensable. Elles permirent une gestion efficace des stocks pendant un quart de siècle.

Entre le « Tout dans la tête » de nos pères et le « Tout dans le disque dur » de nos fils, ma génération connut la « Fiche-volume », trait d'union entre les anciens et les modernes.

« André Maurois sort un nouveau roman, j'en fais un 36/39 ou un 48/52 ?

– 108/100, ça se vend comme des petits pains. »

C'était dans les années cinquante. Le bon libraire commandait 100 exemplaires d'un ouvrage quand il y en avait 100 à vendre. Le libraire timoré en commandait 26 et manquait 74 ventes. Le libraire dilettante en commandait 200 et se préparait des échéances délicates. Entre la commande et l'arrivée de la marchandise, il s'écoulait largement quinze jours, la MLF (la Maison du Livre français) envoyait les paquets dans des sacs de patates que les transports Rivière nous livraient dans des véhicules hippomobiles d'anthologie. C'était le temps de la gestion à l'ancienne, « pifométrique », où compétence était synonyme d'intuition et de flair. Le savoir était fait d'expérience et de connaissance de la clientèle.

La « Fiche-volume » vint alors. C'était une carte insérée dans chaque livre : elle en donnait le pedigree et précisait le nombre d'exemplaires reçus au fil des mois. Quand un ouvrage n'était pas en rayon, le vendeur plongeait dans sa boîte à fiches et ressortait l'information : le nombre d'exemplaires en commande, la date prévisible d'arrivée. La fiche était une extension de sa mémoire, un bourgeonnement de ses neurones, une gemmation de ses cellules livresques. La boîte à fiches était le cerveau de la librairie, l'encéphale de l'entreprise. Il y avait les vieilles, les culottées, qui revenaient du service de commandes ou y retournaient, les nouvelles à incorporer dans les livres récents, celles qui concernaient les livres en réimpression, les orphelines découvertes au fond d'un rayon, les oubliées que les clients scrupuleux rapportaient. Les vendeurs les classaient, constituaient des paquets stockés dans les poches de leur veste ou de leur chemise, posés sur la caisse ou le coin d'une table, conservaient à la main celles qui exigeaient un traitement d'urgence ou les gardaient entre leurs dents, si leurs mains étaient occupées ailleurs.

C'était dans toutes les librairies de France et de Navarre le festival de la « Fiche-volume », le grand bal de la boîte à Pandore.

Il arriva qu'un petit matin d'un jour ordinaire, un collaborateur d'excellence en découvrit une au fond de son lit. On raconte que sa femme s'en indigna.

Le 21 septembre 1985, la séance de dédicace prévue à 17 heures déclencha dès le début de l'après-midi un vent de folie rue Traversière. La foule piétinait devant la librairie, bloquait la circulation depuis l'avenue de la Libération jusqu'à la rue Pierre-Bérard et le policier de service avait dû appeler dans l'urgence un car de CRS.

Yves Mourousi qui se mariait à Nîmes le 28 était la cause de l'effervescence. Il venait de publier *Les Vainqueurs* et signait son ouvrage chez nous avec Marie-Laure Augry, sa partenaire du journal de 13 heures et Véronique, sa future femme.

Une dédicace n'est pas un banal acte de commerce. C'est un challenge de gagneur où le libraire doit prouver à ses partenaires – auteurs et éditeurs – qu'ils ont fait le bon choix en s'adressant à lui plutôt qu'au confrère d'en face.

Je m'étais lancé un défi dans l'esprit du livre de Mourousi et m'étais promis de lui offrir une réception à l'échelle de la corrida prévue la semaine suivante à Nîmes. Les centaines de salons de coiffure auxquels j'avais adressé des invitations personnelles pour chacun de leurs clients s'étaient avérés des passeurs somptueux et efficaces.

On dut fermer le magasin et n'ouvrir les portes qu'aux clients qui sollicitaient une dédicace.

Survint pourtant, venu de nulle part et encadré par deux policiers taillés en déménageurs, un très jeune garçon :

« Chef, on a trouvé cet individu qui veut acheter un livre de classe. Qu'est-ce qu'on en fait ? »

À la responsable du rayon scientifique du premier étage de la librairie :

Lundi : « Me permettez-vous de consulter ce livre de médecine ? »

Mardi : « Auriez-vous une chaise pour que je lise plus tranquillement ? »

Mercredi : « Puis-je m'asseoir à votre bureau pour prendre quelques notes ? »

Jeudi : « Pourriez-vous prendre sous ma dictée deux ou trois paragraphes ? »

Elle ne prit rien du tout et il fit maigre le vendredi... seulement le vendredi.

« Auriez-vous un ouvrage concernant la coulée sous vent chaud ? »

Au rayon scientifique et technique, nous avions l'habitude de demandes pointues, mais cette fois ni la mémoire, ni les catalogues des éditeurs, ni les tables de la librairie pas plus que nos fiches, rien, rien qui permette de donner seulement un début de réponse.

On promit au client de faire des recherches, d'interroger des confrères français et étrangers, des syndicats patronaux, des revues spécialisées, bref de se décarcasser. Résultats nuls jusqu'au jour où un client assidu nous donna un tuyau.

« La coulée sous vent chaud, c'est un problème de métallurgie, non ? Je ne sais pas s'il existe un ouvrage sur ce sujet, mais le spécialiste mondial est ingénieur aux CAFL[1] de Firminy, à côté de Saint-Étienne, demandez-lui. C'est la référence, vous ne trouverez pas mieux.

Deux jours après, notre client vient aux renseignements :

« Nous avons une bonne nouvelle. Le spécialiste mondial de la coulée chaude est un ingénieur des CAFL de Firminy !

– De Firminy ?

– Oui, de Firminy, vous le connaissez ?

– C'est moi ! »

1. Compagnie des Ateliers des forges de la Loire.

La Fête du livre de Saint-Étienne n'est pas sortie, d'un coup de baguette magique, du chapeau d'un illusionniste, traitement réservé aux blanches colombes ou aux petits lapins de même couleur. Non, ce fut une longue histoire née dans les années soixante-cinq, à La Ricamarie. Chaque année, un samedi de marché, un chapiteau loué à un petit cirque y accueillait les libraires de Saint-Étienne. Était présentée, à deux pas et trois radis des marchands des quatre saisons, la littérature populaire que les ménagères découvraient dans leur univers quotidien. Aucun auteur n'était convié : seul le livre était là, à l'ombre de la statue de Michel Rondet.

Ce fut ensuite, en 1972, le Congrès international des jeunes libraires, organisé à Saint-Étienne. Avec mes confrères, nous avions prévu une Journée du livre à laquelle participeraient quarante auteurs tels Robert Sabatier, Gaétan Picon, Jacques Lanzmann, Jean-Pierre Chabrol, Hervé Bazin, Roger Frison-Roche, André Chamson ou François-Régis Bastide... Le matin, rencontre avec des élèves des lycées et collèges dans leur établissement, puis déjeuner avec les professeurs, et l'après-midi nouvelle prestation dans une autre école ; enfin à 17 heures « Fête du livre » dans la toute jeune Maison de la culture. La venue (banale aujourd'hui !) d'un auteur dans une salle de classe était alors une révolution ! Pendant des années les professeurs partenaires de l'expérience, qui en avaient gardé un souvenir marquant, m'ont incité à recommencer.

Tout naturellement, après le succès des Fêtes du livre aux Tuileries et à Beaubourg, je proposai aux Amis de la maison de la culture, qui étaient à la recherche d'activités ouvertes sur l'extérieur, d'organiser une Fête du livre sur le parking du Jardin des plantes. Leur accueil réservé m'engagea à ranger mon projet dans un tiroir.

En 1984, au cours du cocktail qui suivait l'installation du tribunal de commerce, je le présentai à François Dubanchet et m'engageai à le mener à bien s'il devenait maire de Saint-Étienne.

La suite est connue. À ce détail près : François Dubanchet est convaincu que nous nous trouvions à l'angle des rues Georges-Teissier et de la Résistance et que l'idée nous est venue au hasard d'une causette de coin de rue.

Il s'en fallut de l'épaisseur d'un remerciement oublié entre trois discours de fin de banquet pour que la première Fête du livre fût aussi la dernière.

Dans leur allocution, ni le maire de Saint-Étienne ni le président du Syndicat national de l'édition, pas plus que celui de la Lyonnaise de Banque (mais à quoi pensaient-ils donc ?), n'eurent un mot pour les deux cents auteurs présents. Charles Exbrayat était fort contrarié de ce que le micro n'eût point fait escale entre ses mains et ruminait des humeurs bougonnes. Aussi, lorsque le sommelier lui présenta un verre de la cuvée « René Fallet », sans se soucier dans quoi il trempait ses lèvres et pour la seule satisfaction de proférer une méchanceté, il s'exclama :

« Dégueulasse ! »

À l'abri des curieux, on remplit une nouvelle bouteille des vins du Forez avec un grand millésime bordelais.

« Goûtez, Maître, la première était bouchonnée. »

Nouvelle dégustation, par celui qui s'honorait du titre de président de la Gastronomie internationale :

« Toujours aussi dégueulasse ! »

Peut-on appeler « cliente », cette femme qui, tous les mercredis à 9 heures, déposait son rejeton au rayon BD, puis sans un mot, ni bonjour, ni merci, et sans jamais acheter un seul livre, le reprenait vers midi ?

Un beau matin, c'était fin décembre, une employée la vit prendre une carte de vœux sur un présentoir et se diriger vers la caisse. Dans l'instant, par un mystérieux fluide télépathique, l'ensemble du personnel fut alerté.

« Venez voir, la mère du gamin aux BD casse sa tirelire. »

Chacun crut percevoir que se tournait la page d'une vilaine légende.

« Cette carte ? Combien ?

– 7 francs.

– 7 francs ? Pour ce prix, vous pouvez vous la garder ! »

Méchamment elle jeta la carte et claqua la porte.

En 1987, Samuel Fuller, de passage en France, à Saint-Étienne et à la librairie, fuma devant nos fidèles clients son éternel « barreau de chaise ».

De la présence de cet immense cinéaste ce jour-là, il ne me reste que le souvenir d'une interrogation obsédante qui remplit mon après-midi d'alors : Samuel Fuller, oui ou non, repartirait-il avec son cigare ou m'en laisserait-il le mégot ? Il l'abandonna négligemment dans un cendrier.

J'installai religieusement sur mon bureau au milieu des dossiers, des services de presse, du courrier à signer, et le mégot et le cendrier. Ils y restèrent bien longtemps, exactement jusqu'au jour où la femme de ménage menaça méchamment de jeter à la poubelle « cette saloperie ». Redoutant le pire, je portai mon trésor chez un spécialiste : il en réalisa une magnifique inclusion. Avec fierté, je l'exposai au salon entre d'autres trophées dignes de vénération. Ma femme annonça qu'elle avait horreur de ce « machin » comme jadis elle avait eu horreur d'une splendide hélice d'aéroplane que j'avais découverte « aux puces ». L'hélice mesurait trois mètres, le havane cinq centimètres, leur destin fut identique...

Mon mégot mythique devint presse-papiers sur mon bureau de la Fête du livre. En octobre 2001, quelques jours avant mes « derniers Babets d'Or », il disparut.

Des générations de lycéens ont découvert la BD assis sur les marches de l'escalier rouge qui prenait racine au cœur du rayon bandes dessinées et montait au rayon droit, sciences, médecine. Beaucoup d'étudiants, en l'espace d'une ou deux années et vingt marches pour changer d'étage, sont ainsi passés de Bob Morane aux codes Dalloz, du professeur Tournesol au Hamburger ou au Vidal. La fermeture de la librairie a brisé leur rêve de redescendre un jour, s'asseoir, dans la pénombre bruyante de cet escalier métallique, revivre les aventures de Michel Vaillant, de Tarzan ou de Zig et Puce. Nous perdons tous les bonheurs de l'enfance, sauf à se faire des grimaces devant le miroir de la salle de bains, toutes portes closes.

Un jour, à midi, je venais de fermer le magasin, lorsque se précipita, sortant du rayon BD, un gamin de 6-7 ans. Il se jetait, comme un oiseau affolé, sur la porte vitrée. Sans un mot, terrorisé, comme s'il avait la mort aux trousses, il se frappait la tête contre la glace, sans demander d'aide. Les mots étaient inutiles. Seuls ses poings contre la porte lui faisaient espérer la liberté... de l'autre côté de la vitre. Je lui ouvris, il détala, droit devant, tel un petit fauve.

J'appris qu'il venait souvent, seul. Ses parents ne se levaient pas de la journée. Sauvageon, perdu dans notre monde, la librairie était son terrier. Elle était peut-être aussi son Eldorado, sa terre promise, sa cour de récréation.

Où es-tu, gamin, aujourd'hui ?

« Trois étoiles » de la grande bouffe, ils étaient tous là ; en grande tenue, toque blanche immaculée sur la tête : Bocuse, Haeberlin, Maximin, Rebuchon, Troigros... Venus des six coins de l'Hexagone pour l'adoubement du petit nouveau de la constellation, le premier grand cru du cru : Pierre Gagnaire.

Comment Roland Brosselard, directeur de la Lyonnaise de Banque, avait-il pu réussir à convaincre ces maîtres queux de légende à faire escale à notre 2e Fête du livre ? Nul ne le sait et son sésame est son secret.

Conseil de guerre avec Max Rivière, à quelques jours de la Fête.

« Qu'est-ce qu'on fait de tout ce beau monde ?

– On pourrait organiser le "Grand jeu de la Gastronomie", animé par Claude Chebel.

– C'est Pierre Gagnaire qui poserait les questions et on l'appellerait "le combat des Chefs ?"

– Et on remettrait solennellement un menhir au vainqueur !

– Un menhir ?

– Oui... un petit... petit de 20 centimètres.

– Et vous le trouverez où votre menhir... petit... petit ?

– Laissez-moi faire et dans une heure je vous en trouve une demi-douzaine sur la route de Planfoy. Les géologues appellent ça des schistes argileux. »

Ysabelle Lacamp fut un des premiers écrivains à recevoir un « Babet d'Or ». Le sculpteur Albert Chanut avait créé ce trophée avec une pomme de pin (comme on dit ailleurs, en France) plantée sur un long cône de métal. La taille imposante de l'objet permettait aux photographes de réaliser des clichés où les lauréats serraient sur leur sein la trace tangible de leur succès.

Pour des esprits quelque peu licencieux « la chose » pouvait avoir un sous-entendu polisson.

Ce fut sans doute la lecture qu'en fit un « bédettiste » qui, à la vue d'Ysabelle Lacamp, son œuvre d'art dans les bras, s'écria : « Moi aussi, j'ai un joli babet mais il est plus petit. »

En l'an 1989 et pour la première fois depuis l'ère du « Grand Métallurge » cher à Maurice Denuzière, on reparla du Babet d'Or.

Dans *Alerte en Stéphanie*, Maurice Denuzière conte l'histoire de ce petit pays, heureux et prospère, qui bien avant l'histoire et même bien avant la préhistoire avait nom Stéphanie. Les avatars de son roi Stephano n'auraient jamais eu d'incidence sur notre Fête du livre, si Maurice Denuzière, au cours d'une tournée d'émissions auprès des toutes nouvelles radios libres, n'avait évoqué alors l'énigme de l'ouvrage : la disparition du Babet d'Or. Il s'agissait d'un babet qui avait grandi sur le sapin planté au pied de la sépulture du premier Stépharque, entendez par là de notre très lointain ancêtre. Il était devenu l'objet de culte du peuple des Stépharques.

Nous étions à quelques jours de la 4e Fête du livre, les radios libres balbutiaient. L'enregistrement avait-il eu lieu à La Talaudière dans un studio où un homme-orchestre assurait tout à la fois la porte, la technique, le téléphone, l'interview et le bar, ou bien à la Cotonne où le jeune chien de la journaliste nous avait bouffé les lacets sous la table pendant toute la durée de l'interview ?

En écoutant l'histoire de Maurice Denuzière, je sus que le premier trophée que nous devions remettre quelques jours plus tard ne serait ni un César ni un Molière, pas plus qu'un lion de Venise ou un ours de Berlin, mais un Babet. Son image sans prétention montrerait la distance que notre Fête entendait mettre avec un élitisme qui ne seyait à l'âme populaire ni de la ville ni de sa Fête.

Max Rivière fit réaliser une boîte de verre dans laquelle on enferma le fameux Babet. Janine Boissard la remit en grande pompe au lauréat du Prix Populiste. C'était René Frégni qui écrivit : « Dans une somptueuse voiture de collection, j'entre dans un immense gymnase où festoient des milliers de Stéphanois, les "Verts" au grand complet sont là, des femmes en robe du soir, toutes plus belles les unes que les autres, on me tend un micro, je dis n'importe quoi, c'est Hollywood ! »

Ni César, ni Molière, ni Lion, ni Ours, le premier Babet d'Or fut Oscar !

Depuis la première Fête du livre en 1986, une montée cycliste rassemble, le dimanche matin, sur les pentes du mont Pilat, de 600 à 800 participants : auteurs, éditeurs, professionnels du vélo, amateurs anonymes...

Chacun monte « à sa main », ou « à fond les manettes », profitant des caresses de l'automne, tendant le dos sous les derniers orages de l'été ou découvrant les premières neiges d'un hiver précoce. Bref, chacun explore, au fil des ans, l'arsenal complet des curiosités climatiques de la météorologie locale.

Au cours d'une de ces montées, notre voiture balai (on est organisé et professionnel !) remarque un vélo, les roues en l'air dans le fossé. Un spécialiste de la belle bécane estime instantanément l'état de détresse d'un cycliste, à la façon dont il a garé son engin. Le vélo abandonné laisse supposer le pire. Le propriétaire est là, répandu dans le gazon, l'œil frais comme celui d'un rouget à l'étal d'un poissonnier de Tamanrasset. À l'offre d'assistance proposée d'urgence, il répond, hargneux :

« Faites pas chier (!), je fais du vélo comme je veux, où je veux et je me fous de votre course de m... »

L'année suivante, tous les participants à la montée furent dotés d'un dossard. On doit se donner les moyens de respecter les volontés dernières des anachorètes aspirant à crever en misanthropes.

René Fallet fut, à titre posthume il est vrai, le premier parrain de la cuvée « Fête du livre » des vins du Forez.

Je ne pouvais faire moins, pour l'auteur du *Beaujolais nouveau est arrivé*, ni pour le grand ordonnateur de la course cycliste des « Boucles de la Besbre » où s'affrontaient, chaque année, Blondin, Brassens et d'autres, sur des vélos dont les bidons n'avaient jamais connu l'eau claire. De plus, René Fallet m'avait dédicacé *L'Amour baroque* en ces termes : « Au plus beau des présidents de France, puisque c'est le nôtre, avec les amicaux souvenirs d'un de ses administrés préférés. » J'avais reçu ces mots comme une caresse.

Plus tard, j'ai eu le coup de foudre pour *Le Braconnier de Dieu* qui commençait en fanfare : « C'est en allant voter Pompidou que Frère Grégoire rencontra le péché. » Sortant de son abbaye de Sept-Fons pour s'acquitter de son devoir de citoyen, Frère Grégoire avait cédé à toutes les tentations de la chair (qui est faible) entre son abbaye et la mairie de Dompierre.

Promenant, un dimanche matin, mon beau vélo, sur une petite route de l'Allier, je bute par hasard devant l'abbaye de Sept-Fons. Un frère, en robe de bure et sandales, se tient sous le porche. Ma tête d'un seul coup résonne de tout Fallet. Je ne peux résister au plaisir de demander benoîtement à mon interlocuteur s'il me serait possible de saluer Frère Grégoire. À sa mine courroucée, à la sécheresse contenue de sa voix, une fulgurance joyeuse me ravit : lui aussi, a lu *Le Braconnier de Dieu* !

Pendant la Fête du livre c'est seulement le dimanche après-midi qu'il m'est possible de souffler un peu, de lever la tête, de vivre enfin comme tout le monde.

Cette année-là, j'en avais profité pour faire découvrir la Fête à celui de mes petits-fils qui avait 5 ans.

Grand chapiteau, petit coucou à quelques auteurs, dessin sur une BD, clin d'œil à Claude Chebel salle Aristide-Briand, découverte sous les arcades de l'hôtel de ville des albums sélectionnés pour le prix STAS du livre de jeunesse, arrivée place Marengo. Mon petit-fils me tire par la manche : « J'espère qu'il n'y a plus de bouquins sur cette place, parce que, les livres, ils commencent à me faire chier ! »

Encore un, à rayer sur la liste de mes éventuels successeurs !

Il y a les libraires qui lisent le jour dans leur magasin et ceux qui lisent la nuit dans leur lit. Les premiers sont comme des barmen qui boivent leur fonds au comptoir, les seconds s'offrent leur bonheur quand il est déjà demain.

À l'heure où les honnêtes gens ronflent sous la couette, le bon libraire s'adonne à son « vice impuni », la lecture. Il entre enfin dans un monde qu'il s'est contenté de côtoyer dès le réveil. Depuis l'aube, il a feuilleté des ouvrages par centaines, il a déménagé des livres par milliers. Il en a proposé, on lui en a présenté. Des clients en ont signalé d'intéressants, les représentants annoncé d'excellents, ses collaborateurs décelé d'exceptionnels. Il a lu des notices, des bios, des pubs, des éditos, parcouru des articles, des chroniques, des quatrièmes de couv'. Le livre a peuplé sa journée, ponctué son temps, jalonné son quotidien, balisé tous ses gestes.

Les bons jours, il se dit que bientôt il sera « ÉLECTRE » ; les moins bons, qu'à raison d'une nouveauté publiée toutes les quinze minutes, il ne peut que perdre pied ; les mauvais, il songe que 80 % des livres qui feront la une dans deux ans ne sont pas encore écrits.

En matière de vol, mon père était pour la tolérance zéro. Il refusait la réalité des statistiques. Il revendiquait l'excellence dans la répression. Envisager que, dans la librairie bourrée de monde, se cachait forcément un petit malin en train de se remplir les poches, le révulsait ; surtout si tous les clients présents dans le magasin étaient des amis qui l'avaient chaleureusement salué à l'entrée.

J'ai senti peser sur moi un blâme venu de l'au-delà quand, le jour de ses obsèques, à la barbe des employés des pompes funèbres, le précieux registre des signatures avait lui aussi... disparu !

Aux cantiques, je sus qu'ils étaient là, dans mon dos, deux rangs derrière.

Nous avions écrit ensemble quelques-unes des plus belles pages de la Fédération française des syndicats de libraires, partagé les mêmes soucis, les mêmes joies, les mêmes échecs, les mêmes succès, puis chacun était allé son chemin.

Aujourd'hui à l'enterrement de mon père, pour célébrer sa mémoire, pour adoucir mon chagrin, Jean-Baptiste Daelman et Bernard Bollenot, venus de si loin, étaient là.

Leurs voix entraînaient les chœurs, j'ai regretté de chanter trop faux pour pouvoir les accompagner.

Salman Rushdie, en 1989, publiait une lecture commentée du Coran : *Les Versets sataniques.* Le monde entier fut atterré d'apprendre que l'État iranien le condamnait à mort.

Cette intolérance digne des heures les plus sombres de l'Inquisition – mais l'hérésie et Grégoire IX, c'était en 1230 – suscita partout une immense indignation. L'éditeur français de l'ouvrage était menacé, le traducteur était menacé, l'ensemble de la chaîne du livre était menacé ; tous les organismes professionnels voulaient manifester publiquement leur soutien à Salman Rushdie mais l'intimidation intégriste était présente à l'esprit de tous.

Jean-Baptiste Daelman, président de la FFSL, décida d'organiser une table ronde sur les conséquences de la menace de mort lancée par le pouvoir iranien.

L'initiative fut saluée avec sympathie, la mise en place du plateau d'intervenants fut une autre histoire.

Pierre Chaunu accepta de représenter les historiens ; Alain Finkielkraut, les philosophes ; Serge July, les journalistes ; je parlais au nom des libraires ; manquaient les éditeurs. Vladimir Dimitrievic, sollicité, en Suisse, accepta.

Grâce à lui, l'édition était présente, française et francophone.

L'épisode des cartes de vœux est chaque année le premier bourgeon de la Fête du livre, son acte de naissance à la vie.

Après une carte très cycliste où François Dubanchet, Max Rivière, le sponsor et moi avions enfourché draisienne, grand-bi et vélocipèdes des temps héroïques, nous préparions, pour l'année suivante une carte qui, dans sa continuité festive, devrait annoncer pour les trois jours de la Fête une météo sans nuage.

Ayant fréquenté Alain Gillot-Pétré à une époque où le livre était son pain quotidien à Radio France, je fus chargé de lui demander un texte sympathique qui prédirait, quels que soient les caprices éventuels de la dépression des Açores, un soleil indéfectible en octobre.

« Monsieur Plaine, (de mauvais augure, car d'habitude c'était Jacques), sachez que je ne plaisante jamais avec la météo ! » Suivit un long monologue d'où il ressortait que la pluie et le beau temps n'étaient pas propos de salons ou badineries de comptoir. Non, c'était besogne de professionnel, tâche de spécialiste. Je crus même comprendre que le sujet était à ce point sérieux que toutes les chaînes programmaient leur journal télévisé comme émission d'appel !

Ce fut finalement Michel Cardoze, moustache retroussée par le vent des lettres et fleur rare à la boutonnière, qui souhaita *urbi et orbi* une bonne année 1989 et nous prédit un troisième week-end d'octobre... chaud, chaud, chaud.

Quelques mois avant que Leningrad ne redevienne Saint-Pétersbourg, alors que j'exerçais des responsabilités à la Fédération internationale des libraires, je rencontrai à l'université de cette ville une étudiante qui s'informa de la santé de Roger Bellet.

Roger Bellet, professeur stéphanois, était président des « Amis de Jules Vallès » et venait d'annoter le dernier « Pléiade » que les éditions Gallimard avaient consacré à l'auteur de *L'Insurgé*.

« Puisque vous habitez Saint-Étienne, vous devez connaître Roger Bellet ?

– Il vient tous les samedis à la librairie.

– Il a présidé, ici, un colloque sur Jules Vallès. Comme vous allez le voir bientôt, pouvez-vous lui remettre ces quelques disques ? »

Roger Bellet fut très ému de cette attention, mais pas étonné du tout qu'une jeune fille du haut bout de l'URSS s'enquît de son état. Je le fus moi, bien davantage quand, racontant cette histoire à Saint-Étienne je m'entendis plusieurs fois répondre :

« Roger Bellet ? C'est qui ? »

Pour les libraires dont l'activité consistait à fournir les livres scolaires aux écoliers, la rentrée des classes était, avant 1985, ce que sont les vendanges pour les vignerons. Bonne rentrée, bonne année.

Pour contenter le maximum de clients et manquer le minimum de ventes, il était nécessaire de « monter » à Paris deux fois par semaine en camionnette. Je m'approvisionnais directement chez les éditeurs et ramenais le stock nécessaire, pour être, le mercredi et le samedi, jours d'intense activité, en mesure de satisfaire le plus grand nombre possible de lycéens.

Départ pour Paris le soir, après la fermeture du magasin ; route de nuit, tournée des éditeurs toute la journée du lendemain, retour à Saint-Étienne la nuit suivante.

Le samedi d'une semaine où j'avais passé quatre nuits sur les routes, une cliente réclame un ouvrage que, hélas, je n'avais plus ; elle me toise et lance à la cantonade : « Eh bien, vous, vous n'avez pas très envie de travailler ! »

C'est une de ces petites histoires qui m'ont aidé à mettre la clef sous la porte en 1991. Mais il y en eut quelques autres !

Quand la FNAC s'annonça à Saint-Étienne, je demandai à l'élu chargé de la circulation d'envisager la réalisation de panneaux directionnels indiquant les lieux culturels forts de la ville, bibliothèques et librairies comprises.

L'idée ne faisait qu'adapter aux choses de l'esprit le balisage qui renseigne prosaïquement les touristes sur la localisation et la catégorie des hôtels.

La proposition ne devait pas être si incongrue, puisque dès l'ouverture de la FNAC, quelques semaines plus tard, un panneau fut installé au bout de la rue Traversière... Mais au lieu d'indiquer la Librairie Plaine, la flèche était dirigée vers la direction opposée !

Solution en quatre lettres !

Afin de le remercier des cent mille bouteilles qu'il lui avait débouchées, Jean-Baptiste Daelman, œnologue et libraire, avait offert une mémorable fête à son tire-bouchon.

En ce jour de chaudes libations, ce forçat du goulot avait exercé, encore et de très nombreuses fois, son talent ; l'assemblée reconnaissante avait porté toasts sur toasts à ses exploits passés et à venir.

Cette messe bachique m'avait donné l'envie d'un même cérémonial païen à la gloire du fauteuil qui, en quatre cents soirées littéraires, avait accueilli à la librairie et entre ses bras voltairiens autant d'auteurs de renom. Je l'aurais baptisé les « quatre cents culs », par analogie à la fontaine des « quatre sans culs » de Chambéry, édifiée autour de quatre éléphants privés de leur arrière-train.

Hélas ! En même temps que la 400e séance de dédicaces, déclencheur des festivités, se profila la fermeture de la librairie. C'est ainsi que notre fidèle clientèle fut privée des réjouissances programmées.

Installé, aujourd'hui, dans cet auguste fauteuil, me traverse parfois l'espoir audacieux que remonte, de son tréfonds, une parcelle de l'esprit de ses illustres, et d'aventure immortels, visiteurs d'un soir.

Que ma joie demeure

1991-1998

SUR UNE ILE DÉSERTE JE VOUS CONSEILLERAIS PLUTÔT L'HORAIRE DES MARÉES
PIEM

Quoi qu'aient pu écrire Paul Fournel ou Jean-Noël Blanc sur mon pedigree cycliste, je me sens un peu perdu dans le peloton des athlètes du beau vélo, des seigneurs du 53×11, ou des cannibales de l'asphalte. En revanche, je mérite une place au chaud dans le groupetto des ringards de la pédale, des mal-aimés du bitume, des largués de la bécane en carbone, des tartarins du campagnolo.

Sur les coups de mandoline, de barre, de buis ou de bambou, sur l'homme au marteau ou sur la sorcière aux dents vertes, j'ai une provision d'histoires, fruit d'un demi-siècle d'expérience.

C'était sur une petite route de l'Allier à quelques kilomètres de Moulins. En point de mire, un cycliste en bleu monté sur une bécane rustique ; sur son porte-bagages un cageot bourré d'outils de travail qui s'entrechoquaient bruyamment ; le cycliste en bottes de pêche pédalait, peinard. Je le double sans un regard. Le cliquetis du cageot s'installe à mes trousses. « Merde ! Il a pris ma roue ! » En douceur, j'accélère, la quincaillerie aussi ! Je passe le 14 dents, le clapotis de ferraille est toujours là ! Il est impensable que je traverse Moulins avec aux fesses ce paysan du Danube à cheval sur sa boîte à musique ! Je prends le guidon par en dessous et je mets tout à droite : la friture se rapproche, je sens une présence me remonter, je vois une roue sur ma gauche, une main se pose sur mon bras : « Te fatigue pas, petit, je suis coureur cycliste ! »

Je revenais des Boucles de la Besbre à Jaligny, j'avais salué Agathe Fallet, ses deux chats et les vélos de René. Je repartais à vélo (ne pas confondre avec bicyclette). À un croisement, une voiture débouche de la droite et m'oblige à un coup de frein-catastrophe, de ceux qui déclenchent chez le cycliste de base une poussée d'injures dont il ne mesure que trop tard l'inexcusable vulgarité. J'avais lâché ma bordée de noms d'oiseaux et reprenais la route, apaisé.

À peine avais-je roulé 200 mètres, qu'une voiture me serre contre le trottoir. Le conducteur me colle sous le nez sa plaque de police. « Injures à officier de police, suivez-moi au poste. » Immobile, il attend une deuxième salve.

Président de chambre au tribunal de commerce, profil bas, je choisis la voie de la conciliation.

« Excusez, monsieur le Commissaire, je ne suis pas d'ici mais de Saint-Étienne. C'est une ville où les gens aiment tellement le vélo que, même quand ils ont la priorité en voiture, ils laissent passer les cyclistes ! »

Mon interlocuteur me regarde bizarrement, ma réponse ne devait pas être consignée dans le manuel de procédure.

« C'est bon, pour cette fois ! »

Et, parce que la fonction impose à ses agents d'avoir le mot de la fin, il cherche celui qui sera le plus blessant.

« Allez, circulez ; mais ce n'est pas parce que vous êtes vieux que vous avez le droit d'insulter le monde.

– Merci, monsieur le Commissaire... »

« Et je vous emm... en 53 × 13 », mais ça, je l'ai conservé au chaud, pour le prochain croisement. À vélo, vous diraient Paul Fournel ou Jean-Noël Blanc, il faut toujours en garder sous la pédale.

On peut en avoir plein la musette, être cuit, carbonisé, à la rue, à la ramasse ; on peut compter les pavés, « être à pied » et toujours sur son vélo et ne pas connaître ce qu'est la « fringale ».

La « fringale », c'est autre chose : un délire de becquetance, une faim à bouffer la paille de ses galoches, une aurore boréale de la boustifaille où la route est pavée de poêlons, cocottes, tourtières, faitouts, sauteuses, daubières, braisières, regorgeant de ragoûts, de gratins, de courts-bouillons, de farces, de béchamels, de bisques, de civets, de blanquettes, bref de tout ce qui pourrait vous caler le bide, vous remplir la panse, vous donner la socquette en titane, et faire rougir le 13 dents.

J'étais au fossé, le nez dans la luzerne, accroché à mon vélo. Sous la roue arrière, des fraises des bois, plein, un vrai tapis, de quoi sauver le bonhomme, calmer sa « fringale ». Mais usé, vidé, incapable du moindre geste, je les ai mangées une à une, les tirant avec les dents à travers les rayons...

Ce n'est pas demain que je commande des roues lenticulaires au Père Noël !

« Allô !... Monsieur Plaine ?... Vous ne me connaissez pas ; mais je suis une de vos anciennes clientes... Je vous téléphone pour vous dire que, l'autre jour, je suis rentrée dans une librairie... bien loin de Saint-Étienne...

Eh bien, j'ai cru que j'étais toujours chez vous ; même ambiance, même stock, même classement... Au bout d'un moment, la libraire s'est approchée :

"Vous avez l'air d'être comme chez vous dans mon magasin !

– J'ai l'impression d'être dans une autre librairie, à Saint-Étienne.

– À Saint-Étienne ?

– Oui, à Saint-Étienne ! La Librairie Plaine.

– Chez Plaine ! C'est là que j'ai appris le métier !" »

Ce qu'il y a de bien au téléphone, c'est qu'on peut cacher ses émotions !

Grosses lunettes, moue allongée par une courte pipe, Robert Sabatier, calé à l'arrière du taxi, regarde les gens, les boutiques, les rues, défiler à vive allure.

C'est la joie, c'est la Fête, c'est la Fête du livre à Saint-Étienne !

Le taxi avale un carrefour, pleins gaz, sans ralentir.

« Vous avez vu le feu rouge ? s'inquiète l'écrivain.

– Oh ! Quand on en a vu un, on les a tous vus ! » tempère le chauffeur.

Communication téléphonique dans le bureau des inscriptions à la Fête du livre :

« Allô ! Ici Mme Y. Je serai à votre Fête, cette année. Pouvez-vous me réserver une chambre à l'hôtel Mercure... à l'étage de M. X, si possible. »

Une heure plus tard :

« Allô ! Ici X... Je viens d'apprendre que Mme Y sera à la Fête... Le Mercure est complet, OK ? »

Chantal et Josette étaient sublimes dans la gestion de ces dossiers-là !

À mon arrivée chez Gagnaire, Suzanne Nucéra, l'air bouleversé, m'accueillit d'un pathétique : « Robert Sabatier vient de frapper Louis. »

La Fête du livre battait son plein, je venais m'enquérir auprès des membres du jury Charles Exbrayat du résultat des délibérations : qui, en cette année 1994, serait l'heureux lauréat du Prix ?

Certes l'œil gauche de Louis était fermé par un ostentatoire pansement, certes tous les membres du jury affichaient des têtes de croque-morts, certes un silence pesant enveloppait les convives, mais ce silence était ponctué, et le détail avait son importance, par de discrets crissements de fourchettes. Que le très courtois Robert Sabatier, vieux routier des jurys les plus florentins, se soit emporté au point d'éclater l'arcade sourcilière de Louis Nucéra aurait dû paralyser de consternation le système gustatif de l'ensemble du jury ; il n'en était rien, et les mandibules, sans bruit, pédalaient dans la volupté. Une question se posait donc : et si cette joyeuse équipe, après avoir dignement arrosé ses retrouvailles, était en train de nous monter un canular d'enfer ? Piem me fit promettre d'oublier ce que j'avais vu, Pierre Gagnaire renchérit en jurant que, quoi qu'il arrive, il resterait lui-même un tombeau.

De retour sous le grand chapiteau, là où palpite le cœur de la fête, je fus atterré de constater que le secret dont j'étais censé être le dépositaire exclusif alimentait les conversations des auteurs, des éditeurs, des journalistes et de l'ensemble des visiteurs.

Notre jury en goguette, ce nouvel indice le confirmait, nous jouait la grande scène des « copains », mise en musique par Piem et Georges Ziegler, avec Robert Sabatier à la batterie et Louis Nucéra en vedette américaine. Je ne pus, hélas, faire partager mon analyse au correspondant de l'A.F.P. Espérant le pire, convaincu que la presse du soir est plus avide de gnons que de caresses, il entendait « châtaignes sauvages » quand je lui parlais « sucettes à la menthe ». Sans plus attendre, il balança une dépêche annonçant qu'à la Fête du livre de Saint-Étienne, Robert Sabatier et Louis Nucéra en étaient venus aux mains.

La presse nationale reprit l'information avec gourmandise, et le soir même, le ministre de la Culture, Jacques Toubon, que la nouvelle sur RTL avait mis en joie, apostropha à sa descente de voiture le Préfet de la Loire, d'un jubilatoire : « Alors monsieur le Préfet, il s'en passe des choses dans votre département ! »

Cette année-là, deux auteurs reçurent de conserve le prix Charles Exbrayat : le favori de Robert Sabatier et le poulain de Louis Nucéra.

Pierre Béarn, qui s'accroche à la vie pour lui soutirer ses cent ans, fut doyen de la montée cycliste 1994. Il n'en fit cependant que les premiers deux cents mètres, victime du futurisme et de ses pédales à la con.

Père du célèbre « Métro-boulot-dodo », poète, éditeur, libraire, il revendique en tout et pour tout et pour cent ans, deux maîtres : La Fontaine dont il est l'héritier, et André Leducq, double vainqueur du Tour de France, qu'il battit naguère au sprint dans une course de village.

Promenant son écharpe à rayures et ses baskets de jeune homme de Brive-la-Gaillarde à Limoges, et de Roisey à Boën-sur-Lignon, Jean Anglade est un fidèle des Fêtes du livre et un fidèle parmi les fidèles de celle de Saint-Étienne.

Réfractaire au parking de la place de l'hôtel de ville, pour cause d'allergie aux machines à sous, il gare son véhicule devant le commissariat central, cours Fauriel, et se rend à pied sous le grand chapiteau.

Économe de son temps, comme de toutes choses, je l'ai vu, regagnant ses terres auvergnates, ponctuer son démarrage d'un rageur : « On ne va pas y passer la nuit » et s'engager au feu rouge de l'hôtel de police, à la barbe de la maréchaussée.

Le temps, c'est de l'argent, mais qu'est l'éternité ? Jean Anglade m'en a donné cette définition, quelques jours après ce départ de « garagna » dissipé : « Supposons une cloche de 500 kilos, effleurée, tous les cent ans, par l'aile d'une hirondelle, quand la cloche sera usée, nous aurons vécu une seconde d'éternité. »

Paul Fournel et moi étions les invités du Salon du livre de Saguenay-Lac-Saint-Jean, au Québec, jumelé avec notre Fête du livre.

Nos hôtes avaient décidé d'agrémenter notre voyage d'un dimanche à la campagne. Dans ce haut bout du Québec, « le Royaume », une partie de campagne, c'est prendre son 4×4 le matin, le bourrer de victuailles, rouler quelques dizaines de kilomètres par des chemins dignes du Paris-Dakar, et arriver enfin dans sa « cabane au Canada ».

Celle de nos amis était plantée au bord d'un lac, ou plus exactement sur la seule île d'un immense lac, dont ils étaient les uniques habitants. L'île avait la dimension de la maison et était précédée d'un vaste ponton de bois avec vue circulaire sur l'infini du lac. Au milieu de ce ponton trônait une antique baignoire, comparable à celle que l'on rencontre parfois dans les herbages de notre Forez ! Paul et moi, intrigués par cet objet identifié mais insolite, nous efforcions d'en justifier la présence :

Était-ce une réserve à vifs ou, au contraire, un vivier destiné à conserver la pêche du jour ?

Souhaitant un éclaircissement, nous profitons du déjeuner :

« La baignoire, sur votre terrasse, à quoi sert-elle ? »

Et nos hôtes de nous regarder, comme s'ils découvraient deux demeurés tombés d'un autre continent, sinon d'une autre planète :

« Mais à prendre des bains, pardi ! »

Prévus cinq à cette partie de campagne québécoise et lacustre concoctée par nos amis organisateurs du Salon du livre de Saguenay-Lac-Saint-Jean, nous n'étions finalement que quatre ; la dernière invitée avait déclaré forfait, victime d'un imprévu de taille : son mari venait de déposer délicatement au beau milieu de la cuisine le fruit de sa chasse : deux orignaux de 800 kilos, soit 1 600 kilos de viande à découper et à congeler ! Excuse valable, non ?

Le couple d'amis qui nous accueillait le faisait avec tellement de chaleur et de gentillesse, qu'il nous sembla tout à coup indispensable d'offrir, dans l'instant, un de ces petits cadeaux (n'importe quoi, mais quelque chose et tout de suite) qui entretiennent l'amitié.

Notre hôtesse était, comme on dit, un peu enveloppée. Bien dans sa peau, bien dans sa chair, elle eût fait un modèle de rêve pour le burin d'Aristide Maillol ou le pinceau de François Boucher. Paul pensa à quelques-uns de ses ouvrages apportés dans sa serviette (quand il n'a pas de vélo, il a une serviette !) et décida d'en dédicacer un à son intention.

Il plongea dans sa besace pour aussitôt m'affirmer, péremptoire : « Impossible ! »

Il ne lui restait qu'un titre... : *Les Grosses Rêveuses* !

Clément Lépidis avait quitté avec regret sa Rive gauche, pour venir respirer, à notre Fête du livre, une bouffée d'air provincial, « de campagne » comme disaient ses amis du 6e arrondissement.

Alors qu'il s'apprêtait à dédicacer son dernier-né, il fut consterné quand l'acheteuse le lui arracha prestement des mains et lui lança courroucée : « Vous n'allez tout de même pas écrire sur mon livre ! »

Sa première réflexion le convainquit d'être tombé chez les Philistins. Puis, parce qu'il était homme d'analyse et que son métier était justement de pénétrer la nature humaine, il eut comme une révélation.

Pour la première fois de sa vie, il découvrait quelqu'un qui avait acheté son livre, non pour en parler à son prochain dîner en ville, pour se faire remarquer des badauds alentour ou pour enrichir sa collection d'autographes... Il venait de rencontrer, et il regrettait déjà de l'avoir étourdiment laissé aller, un lecteur, un vrai, dont la seule envie était de lire son livre, tout simplement.

Il y a les libraires qui ne vendent que les livres qu'ils ont lus et qu'ils aiment et ceux dont l'honneur est de présenter de la même façon les livres qu'ils adorent et ceux qu'ils abhorrent.

Les premiers, engagés dans la vie littéraire, souhaitent partager leurs joies et leurs passions avec leurs clients. Les seconds, dans les rayons desquels on sait pouvoir tout trouver, sont appréciés pour leur assortiment éclectique. Mais les uns et les autres se rejoignent dans l'amour qu'ils portent aux beaux textes et à ceux qui les écrivent.

Chacun a ses coups de cœur et ses bonheurs de lecture. Chacun organise des signatures dans sa boutique, s'implique dans les fêtes, les foires, les salons ; avec l'aide de clubs, de cercles et d'associations, invente des rencontres et des soirées ; grâce à ses vitrines, ses expositions et ses mailings, informe les lecteurs de ses plus belles trouvailles. Chacun a eu pour un livre encore inconnu un vrai coup de foudre et a contribué à son succès.

Je me suis battu pour un mort : Émile Clermont, tué au sortir d'une tranchée en 1916. Bernard Grasset l'avait découvert, avait cru en son talent et en avait fait son ami. Il se battit en duel pour lui et aurait été embroché par son adversaire sans la maîtrise du directeur de combat qui à huit reprises évita le pire. Stéphanois, Émile Clermont était l'auteur de *Laure*, *Amour promis*, *Isabelle*, *Le Passage de l'Aisne*. Avec Bernard Plessy nous l'avons aidé à reprendre sa place dans la littérature.

Nous avons retrouvé sa famille, déniché une malle de souvenirs et débusqué l'auteur d'une thèse qui lui fut consacrée en 1951. Grâce à l'École des mines de Saint-Étienne, la Fête du livre organisa, chez Gagnaire, un dîner avec tous ceux qui l'avaient aimé et offrit un feu d'artifice pour l'inauguration de sa plaque de rue (volée la semaine suivante).

Amour promis fut réédité dans les Cahiers rouges. Le public du département assura les trois quarts des ventes.

Les anciens du 238e régiment viennent de découvrir que *Le Passage de l'Aisne* n'est qu'une partie d'un long compte rendu rédigé par Émile Clermont et en préparent l'édition. Seule *Laure*, l'œuvre maîtresse, reste épuisée, rendant improbable tout nouveau travail universitaire. Jusqu'à quand ?

Jusqu'au jour où ses éditeurs de la rue des Saints-Pères en auront assez que je les salue d'un réprobateur : « Alors *Laure* ? »

Chaque année, les restaurateurs mitonnaient un menu affiché sur les bonnes tables stéphanoises pendant la Fête. Les menus Rabelais, Arcimboldo, Picasso, Belphégor, des « cinq continents » ou de « la patate à cinq doigts », ont tour à tour régalé nos hôtes, invités ou invitants.

En 1995, chaque écrivain proposait la recette qui lui tenait à cœur et qui était prévue pour tenir au ventre. « Les guenilles à la Thiernoise », recette proposée par Jean Anglade, s'étaient transformées en « Grenouilles à la Thermidor » par l'étourderie d'une secrétaire en délicatesse avec la calligraphie approximative du Pape des Ventres jaunes.

Le jour de la présentation-dégustation à la presse, m'estimant responsable du *« lapsus ordinatus »*, les chefs me remplirent les poches d'une quantité de grenouilles approchant la douzaine. La gent marécageuse sauvée *« in extremis »* d'une exécution qui lui pendait à la cuisse, coule aujourd'hui une retraite paisible dans mon jardin. Les coassements de l'un de ces batraciens caché dans un pot de fleurs du salon, laissent supposer qu'il en a fait sa résidence d'hiver.

On ne choisit pas son grillon du foyer.

Jean Bassan fut lauréat du Prix des libraires en 1958, pour son roman *Nul ne s'évade*... et disparut l'année suivante.

En 1995, la Fête du livre de Saint-Étienne célébrait son 10e anniversaire et le Prix des libraires son 40e. À cette occasion j'avais souhaité que soient présents, à la soirée des Babets d'Or, les quarante lauréats de ce prix magnifique. De lettres en visites, de cocktails en communications téléphoniques, je m'acheminais vers un carton plein. Ils seraient tous là : Christiane Singer revenait spécialement d'Autriche et Jean Noli de l'autre bout du monde. Manquait pourtant à l'appel Jean Bassan !

Depuis trente-cinq ans, tous ceux qui font leur miel du Prix des libraires, de Jacques Van Moé à Jean-Pierre Rudin, de Gustave Barry à Michèle Bourguignon, sans oublier Jean Bannier et Georges Méa, avaient tiré un trait sur Jean Bassan. J'allais leur montrer qu'il ne fallait jamais renoncer et que volonté et persévérance me mettraient forcément sur la piste de l'auteur de *Nul ne s'évade.*

Minitel en main, département par département, ville par ville, j'ai listé tous les « Bassan » de l'Hexagone. Colossale recherche, résultats étiques : j'avais des colonnes de « Jean Bassan », restait à les appeler un par un pour trouver le bon, le vrai, l'unique.

« Allô, monsieur Jean Bassan ?

– Lui-même.

– Seriez-vous l'écrivain qui...

– Vous voulez rire ! »

Énième numéro et plusieurs heures après...

« Madame Jean Bassan sans doute ?

– Je suis sa mère.

– Votre fils n'aurait-il pas eu le Prix des libraires ?

– Le Prix des libraires ? Sûrement, il fait tous les concours ! Et où est-ce qu'on va le chercher, ce prix-là ? »

Le samedi soir à la soirée des Babets d'Or, pour la première fois tous les lauréats d'un grand prix littéraire étaient rassemblés, exception faite, bien sûr, de Jean Bassan.

Sous les yeux des fondateurs du Prix, Piem et Paul Fournel les avaient accueillis sur la scène du palais des congrès de Saint-Étienne et le président de la FFSL leur avait remis la médaille de la Librairie.

Jacques Toubon, alors ministre de la Culture, était là et devait présider le dîner. Arrivé le premier à la table d'honneur, le ministre fut étonné et déçu : les quarante invités prévus à sa table étaient des élus. « Je pensais dîner avec des auteurs ; quand je veux rencontrer des politiques, je les convoque ! » Et, par agacement ou défi, il mélangea sous mes yeux, et avec une jubilation certaine, les cartons de table.

L'année suivante, le dîner de gala fut remplacé par un cocktail debout.

Dernier encyclopédiste des temps modernes, émule de Pic de la Mirandole, Roger Caratini connaît presque tout sur tout, épate les braves gens qui ne savent presque rien sur tout et agace les savants qui savent tout sur presque rien.

Contestataire impénitent, roi de la provoc, il organisa, voici quelques années, une « Table ronde » où s'opposaient avec courtoisie les chefs emblématiques corses avant de retourner s'étriper gaillardement sur l'Île de Beauté. L'année suivante il orchestra un affrontement frontal entre le docteur Schwartzenberg et Dominique Jamet sous l'œil gourmand de Maître Vergès.

Choisi comme parrain du Lycée d'Alembert, bien que plus proche de Bayle que de d'Alembert, il était notre invité au restaurant La Poularde où le sommelier Éric Baumard étrennait son titre conquis aux championnats du monde.

Ces deux barons de l'érudition, que le hasard mettait face à face, ne pouvaient que nous offrir, le moment venu, une joute oratoire de derrière les sarments. Une belle joute où chacun se devait de faire étalage de son immense culture, d'offrir une profusion de connaissances, une débauche de savoir et un rien de cuistrerie.

Sur quoi porterait le débat ? Le phylloxera, le clonage, les vins de garde, les AOC, les vins boisés, les vins de paille, le bon usage des fûts neufs, les vendanges tardives, la pourriture noble... ?

Ce fut le viognier, dont Éric Baumard venait de déboucher une bouteille.

La passe d'armes dura une heure, magnifique... Les connaissances du champion étaient sans limites, celles de l'encyclopédiste tenaient la route. Égalité, match nul, 20 sur 20.

J'étais heureux : chacun avait trouvé adversaire à sa mesure, aucun n'avait trébuché, enfin, tous deux en avaient décousu avec talent et à-propos.

Pour clore dans la grandeur, Roger Caratini leva son verre et montra que s'il possédait son sujet sur le bout des doigts, il lui manquait quelques papilles sur le bout de la langue :

« À la vôtre, les amis, voilà bien dix ans que je n'avais bu de viognier ! »

Je lui en avais servi une bouteille la veille, et de Georges Vernay !

« Sais-tu ce qu'est un ultratrifoliophile ?

– Pas du tout.

– C'est un collectionneur de trèfles à plus de trois feuilles. Pas des trèfles trafiqués aux OGM pour qu'ils développent des bizarreries, non, des petits trèfles rustiques, bien de chez nous et trouvés dans la nature. Le champion du monde s'appelle Pierre Schwartz, il est professeur de maths au lycée de Rive-de-Gier.

– Tu crois que je peux lui commander 400 trèfles à quatre feuilles, pour le mois prochain ? »

Le défi fut relevé.

Le jour de la Fête du livre 1995, chaque auteur découvrit sur son oreiller un trèfle à quatre feuilles, fraîchement repassé, collé sur une carte porte-bonheur avec (c'est ce qui frappa le plus les invités) le lieu, la date et l'heure de sa cueillette.

Dans la rue qui grimpe à la cathédrale de Vézelay une plaque signale à mi-hauteur : « Ici vécut Max-Pol Fouchet ».

Surprise ! Quand à deux pas de la basilique de Richard Cœur de Lion, Saint-Louis et Philippe-Auguste, vous êtes zappés par un croisé de « Lectures pour tous ».

Quelques grands moments de l'émission surgissent autour de Max-Pol Fouchet, Pierre Desgraupes et Pierre Dumayet.

Soudain, venant d'une antique 2 CV Citroën garée dans une poche d'ombre une petite voix :

« Vous l'aimez donc toujours Max-Pol Fouchet ? »

Un petit bout de femme descend de la 2 CV.

Présentation, la conversation s'engage, retour sur l'ORTF des années soixante, évocation du poète, du romancier, de l'infatigable voyageur. La petite dame sort une clé de sa poche : elle est de la maison. Elle ouvre la porte et nous voilà de l'autre côté du haut mur, dans le bureau du Maître : pénombre, épaisseur du silence, odeur de travail, calme intense : son stylo est là, ses lunettes à grosse monture noire aussi, posées sur *La Rencontre de Santa-Cruz*, sa veste pend à la porte. Marguerite Gislon, l'automobiliste aux aguets, fait les honneurs de celui qui fut bien longtemps son grand Homme. Elle déclame tel poème qui met en musique la colline vibrante au soleil, en face, sur l'autre rive de la Cure. Elle parle de l'arbre isolé planté en son sommet, prend un livre, *Vent profond* peut-être, dit un nouveau texte ; Max-Pol Fouchet est avec nous, remplit le bureau de sa prestance. Suspendu à son verbe, trois heures ont passé. On envisage d'organiser quelque chose à la prochaine Fête du livre... ou ailleurs... la France est si grande. Je prends congé, enfin.

Sur le chemin de l'église monastique, une force inéluctable me tire vers la gauche : je me retrouve au cimetière pastoral du village, devant sa tombe. Il fallait bien le saluer pour de bon ce cher vieux Max-Pol.

Parce que le Prix Populiste devait, cette année-là, être proclamé à Saint-Étienne et qu'Eugène Dabit en avait été le premier lauréat, la fête 1993 fut lancée à Paris face à l'hôtel du Nord, dans les brumes du canal Saint-Martin. « Atmosphère ! Atmosphère ! »

Trois ans plus tard, le même prix honorant la même fête, se posait la même question : dans quel lieu populaire mythique opérer le lancement ? Clément Lépidis, membre du jury, pensa à son vieux copain « le Baron » : Jo Privat. C'était vendu pour le Temple du musette : le Balajo.

Seigneur du « boutonneux », prince du « dépliant », roi de la « boîte à frissons » (celle qui fait palpiter les battants, qui distille le champagne en intraveineuse, récure les tripes et fait chalouper les valseurs), Jo Privat régnait avec Daniel Schmidt, ancien champion du monde de catch, sur l'établissement de la rue de Lappe.

Mais Jo Privat était malade, très malade, le cancer avait déjà pris son billet pour là-haut ou pour là-bas. Je l'avais compris lors du déjeuner au cours duquel nous avions arrêté la date de la cérémonie du Balajo, le 21 mai.

Une évidence s'imposa à son esprit : puisqu'il avait un projet pour le 21 mai, rien, même pas la maladie, surtout pas la maladie, ne pouvait s'y opposer. Le 21 était devenu une date sacrée, un horizon à atteindre, pas question d'y faire obstacle. Il m'appela souvent au téléphone pour s'assurer que « ça tenait toujours », que les préparatifs allaient leur train, que toutes les pièces se mettaient en place, indispensables les unes aux autres. Pour sceller ce contrat avec la vie, on fit imprimer les invitations bien avant que nécessaire, preuve de plus de sa présence parmi nous le 21.

Peu de temps avant cette date, nous fîmes au « Père-Lachaise » le dernier brin de conduite à l'ami Jo. En catastrophe furent imprimées de nouvelles invitations :

Le 21 mai
L'accordéon de Jo Privat
et Muriel la chanteuse du Balajo
feront chalouper les valseurs.

Restait l'accordéon, restait Muriel, restait Jean Corti le copain accordéoniste...

Salut, l'artiste, je vous « serre la quintuple ».

Faire découvrir de la peinture plus contemporaine que *L'Angelus* ou *Les Glaneuses* de Millet, tel était l'objectif du « Circuit des Artistes ».

L'Association culturelle du parc du Pilat proposait, dans des lieux aussi ouverts que les cafés ou les auberges de notre Pilat, des œuvres qui tranchaient avec le conformisme du calendrier des postes. Aiguillonné par Jean Andersson, les artistes participaient à des dîners campagnards où, entre un air d'accordéon et une soupe aux choux, ils expliquaient leur travail, révélaient leurs passions, vivaient, l'espace d'une soirée, l'esprit de nos montagnes.

Telles étaient, bucoliques et pastorales, ces balades artistiques qui auraient continué longtemps leur vie rustique et champêtre, si, à Saint-Sauveur-en-Rue, la sculpture de Jean-Michel Macqueron n'avait bousculé le train-train des événements ordinaires.

L'artiste, un sculpteur, avait rassemblé toutes les vieilleries hors d'usage qui traînaient aux abords de l'auberge devant laquelle il devait ériger son travail. Il édifia une énorme chose aux contours incertains et qui, à peine haubanée, devint le centre des discussions du canton, du parc et de toute la « Stéphanie » artistique.

Les aubergistes, nargués sous leurs fenêtres par cette œuvre qu'ils estimaient provocante, se chamaillaient publiquement : certains visiteurs y voyaient de l'art, d'autres criaient à la mystification, les uns s'ébaudissaient, les autres récriminaient, on condamnait, on admirait, on glosait. Des témoins dignes de foi racontaient que des consommateurs en étaient venus aux mains, on dit que des couples se défièrent, que d'autres se défirent... L'ordre public était menacé : il fut décidé de faire disparaître la pomme de toutes ces discordes.

Monsieur Macqueron fut invité à ôter de la vue des populations laborieuses l'œuvre scélérate.

Il se présenta, un beau matin, devant ses détracteurs, timide et réservé ; il leur expliqua le pourquoi, le comment de son travail ; il montra des esquisses, des croquis, des ébauches ; il fit démonstration de son trait pur et sûr et de son coup de crayon superbe ; le verbe doux, le ton ardent et chaleureux, il parla de sa démarche, cita ses références ; il persuada tous ces gens rassemblés que son œuvre portait en elle une dimension qui leur avait échappé ; il s'excusa d'être la cause de tous ces tourments et, d'un seul coup, coupa les haubans qui maintenaient l'objet en érection. La fière sculpture s'écroula dans la poussière. Le silence succéda au silence, s'alourdit d'une densité nouvelle, réprobatrice.

On dit que les âmes sensibles... mais les âmes peuvent-elles verser des larmes ?

Du Train bleu au Salon du livre, de l'Hôtel de Massa à celui de Verneuil, des toits du Cercle de la Librairie au Sénat, des bateaux-mouches au quai du Canal Saint-Martin, du musée Grévin à celui des Arts forains, du Balajo au Batofar, auteurs, éditeurs et journalistes ont découvert au fil des années les programmes des Fêtes du livre de Saint-Étienne.

Après le mot d'accueil de François Dubanchet puis de Michel Thiollière et ma présentation de la fête, nos invités, l'espace d'un casse-croûte forézien, se laissaient emporter par les saveurs provinciales.

Le stock de saucissons, de «Jésus», de sabardins, de rillettes, de grillatons, de fourmes de Montbrison, de sarrasson, de pâtés aux poires ou aux pommes, de bouteilles de côtes du Forez, gagnait la capitale, dans la camionnette de la librairie au début, dans un camion frigorifique d'emprunt par la suite.

Le voyage s'effectuait de nuit. Au mitan du parcours, sur le coup de 10 heures du soir, nous arrivions en terre bourbonnaise et devant une pompe aux grattons ou un pâté aux pommes de terre, Max Rivière d'abord, beaucoup d'autres plus tard s'inquiétaient : que ferait le maire, demain, si d'aventure nous tombions en panne d'ici à Paris ? Hypothèse d'école, certes, mais la vétusté évidente du véhicule justifiait l'interrogation.

La chance, sans franchement rigoler, nous sourit néanmoins puisque les freins du camion ne lâchèrent qu'une seule fois :

c'était boulevard des Capucines et à 200 mètres de notre terminus, le musée Grévin.

Nous arrivâmes presque à l'heure, et personne n'eut le temps de s'inquiéter.

Chantal et Josette, en parfaites assistantes, négocièrent les réparations pour le lendemain après-midi. L'épisode semblait avoir une fin heureuse, c'était mal connaître nos hôtes : au moment du départ, la direction du musée Grévin exigea d'être débarrassée des quarante sacs poubelles contenant les reliefs de la réception. Je m'offusquai pour la forme et les embarquai dans le camion frigorifique, pour la décharge de Saint-Étienne.

Je n'avais pas fait 500 mètres que, place de l'Opéra, un agent de la circulation, percevant un hiatus entre mon nœud papillon et l'état de délabrement du véhicule, exigea de vérifier la nature du chargement. La vue des quarante sacs d'Ali Baba l'intrigua. J'aurais volontiers plaisanté sur un nouveau tableau du musée Grévin provisoirement mis au frais, si l'air courroucé de la maréchaussée ne m'avait rappelé ce proverbe arabe « Ne pisse pas face au vent, t'en mettras plein tes babouches » et m'incita à la rétention.

Le Prix des libraires, proclamé dans un grand hôtel parisien, ouvre au lauréat la porte d'un monde exceptionnel, celui de la grande famille de la librairie.

Le cocktail rassemble autour du lauréat, les libraires, les éditeurs, les professionnels du livre et bien entendu les écrivains qui un jour ont reçu le prix. Ils reviennent adouber le petit nouveau et retrouver l'atmosphère de la soirée qui jadis fut la leur.

Dans le brouhaha joyeux des retrouvailles, Michelle Schuller, prix 1991 pour *Une femme qui ne disait rien*, est là, timide, parmi les anciens lauréats :

« Tiens, Michelle Schuller... *Une femme qui ne disait rien* !

– Vous vous souvenez de mon livre ?

– Comment peut-on oublier « le soleil dans les cheveux d'Alexandre » !

J'ai lu dans les yeux de Michelle Schuller une lumière de bonheur : quelques années après son prix, un libraire en avait gardé dans un coin de mémoire la petite phrase immense qui en était l'éblouissante image : « Le soleil dans les cheveux d'Alexandre. »

Qui n'a jamais rêvé de taquiner le goujon avec René Fallet, de ramer sur la Tamise avec Jerome K. Jerome, d'arpenter la forêt de Tronçais avec Alain-Fournier, de provoquer les toros avec Montherlant ou de monter en ballon avec Jules Verne ? Ébloui par *La Ligne bleue* de Daniel de Roulet, j'ai pu quant à moi assouvir mon fantasme en courant le marathon de New York avec l'auteur de ce livre culte pour coureur de fond.

C'était en 1997 ; contraint de remplacer le saut périlleux arrière de mon anniversaire par un défi moins tonique, j'envisageais un marathon comme épreuve de substitution. Une émission au cours de laquelle j'avais interviewé Daniel de Roulet me détermina pour le plus grandiose de tous, celui de New York.

La veille de la course, dans un hôtel de Times Square, je retrouvais Daniel de Roulet tout étonné qu'un lecteur, libraire de surcroît, ait pris son livre « aux pieds et à la lettre », puis traversé l'Atlantique pour avaler 42 kilomètres 195 de bitume américain. Il se sentit dans l'obligation de me proposer de courir avec moi.

Le jour J, dans une ambiance de carnaval, entourés de 30 000 concurrents et encouragés par un million de spectateurs, nous fîmes 25 kilomètres à travers Staten Island, Brooklyn et le Queens, dans la joie et les lettres ; 10 kilomètres de Manhattan au Bronx, dans la douleur ; le reste dans l'état de coma dépassé qui rôde par-delà le mur du trentième kilomètre et qui nous conduisit de l'enfer de Harlem au paradis de l'extrême bout de Central Park.

Entrer dans l'intimité secrète d'un roman est la chimère majeure de tout lecteur. Mon orgueil est d'y être parvenu pendant quatre heures et demie. Cerise sur le gâteau, grosse comme une citrouille de Halloween : la jolie nouvelle que Daniel de Roulet m'envoya quelques semaines plus tard, contant avec ses mots et son humour ces « 4 heures 27 minutes 50 secondes ».

« Tout le monde n'est pas de la race des signeurs », soupirait un auteur, jaloux de la moustache de Cavanna, des chapeaux d'Amélie Nothomb, du fluide de sympathie de Janine Boissard, de la haute technicité de Jacques Salomé.

Ni sa moisson de prix littéraires, ni sa collecte de lauriers tissés par la presse spécialisée n'étaient en mesure de compenser le charisme médiatique qui lui eût ouvert toutes grandes les portes de la fièvre acheteuse.

Non, les grands fauves de la signature, de Saint-Étienne à Brive, de Metz à Saint-Malo, de Sablet à Saint-Louis, le réduisaient immanquablement en tapisserie de salons, à moins que, suprême affront, mortel déshonneur, il ne soit pris pour le libraire responsable du stand, voire pour son grouillot de service.

C'est un métier que de déclencher la soif des altérés de la dédicace, comme c'en était un de faire exploser l'audimat de *Bouillon de culture.*

Chacun vante sa technique, étale ses faits d'armes. Celui de Joseph Joffo, pour l'inauguration de la Fête par François Dubanchet et Michel Noir restera l'étalon, la référence, le patron XXL. Interpellant à la fois le maire de Saint-Étienne et son invité lyonnais, il lance :

« Certains de nos amis vont vous offrir leur livre, moi, le mien, je vous le vends ! »

Joignant le geste à la parole, il dédicace, sous le crépitement des flashes, *Le Sac de billes*, un pour François Dubanchet, un pour Michel Noir et leur réclame et encaisse le prix des ouvrages, TTC et sans remise...

Propos de café du Commerce avec le président de la Société des Gens de Lettres.

« Hier, j'ai passé deux heures superbes avec Clément Lépidis, toujours aussi râleur, mais en pleine forme.

– En pleine forme ? Impossible ! La semaine dernière, il est venu à la Société, abattu, défait, je ne suis même pas certain qu'il portait son éternelle écharpe à la Bruant, il semblait tellement aux abois que nous lui avons consenti un prêt d'honneur de 3 000 francs – c'est te dire. »

Au téléphone quelques jours plus tard :

« Incroyable ! Lépidis a un sosie, un vrai, et c'est à lui qu'on a remis le prêt d'honneur ! »

Sur son vélo de Paradis, quand résonnèrent les cuivres de la première Fête du livre, René Fallet dévalait depuis longtemps, au ras des saules têtards des boucles de la Besbre, les cumulo-nimbus des ciels bourbonnais. Ainsi, la première montée cycliste ne se fit pas dans sa roue mais dans la mémoire de tous ses potes de la roue libre et de la descente rapide.

Douze années plus tard, la montée « des Soleils de l'Automne » unissait encore, dans sa pédalée fantastique, 850 amoureux des lettres et du vélo. Sur fond de culture populaire et dans une bonne odeur d'embrocation, c'était toujours le mariage de deux mondes qui partout ailleurs ont du mal à s'aimer.

Cette année-là, on fêta René Fallet. Agathe, sa femme, m'avait confié son vélo préféré, les coureurs du Sprinter-Club de Claude Bussy s'étaient engagés à le pousser à tour de rôle jusqu'au sommet. Seule contrainte : la lecture de Fallet. Chaque coursier reçut son roman avec mission expresse de le lire entre deux séances d'entraînement et quatre plats de macaronis.

Le jour de l'épreuve, sur le plateau de la Barbanche, là où la pente se civilise, j'eus l'honneur de prendre un relais. Quand un coureur vint, pour me remplacer, se saisir du vélo mythique, je vis dépassant de sa poche *La Soupe aux choux*. Ainsi, dans les maillots de cinquante coureurs, toute l'œuvre de René Fallet accompagnait son vélo

Nous venons des « Cosmics » par les trois « Monts Blancs ». Il est 19 h 30. Nous sommes partis ce matin à 2 heures : dix-sept heures pour rallier les Cosmics à Tête-Rousse par le Mont-Blanc du Tacul, le mont Maudit, le mont Blanc, le vrai, le refuge Valot, le Dôme du Goûter. Le guide chamoniard Roger Ravanel, en 130 expéditions, n'avait jamais dépassé 16 heures pour cette course : record battu !

La direction du Crédit agricole a eu, en cette année 1998, l'idée folle de faire remettre les trophées de la réussite par cinq personnalités qui auraient ensemble réalisé le même défi : « faire » le mont Blanc, 4807 mètres ! Voilà qui est réalisé ! La conversation tourne autour des petits maux ou des grandes souffrances qui ont émaillé cette très longue journée. Le débat se focalise au-dessous de la cheville, sur le pied car le pied est, j'ose le dire, le cœur des préoccupations du montagnard.

Et chacun de vanter les mérites de la « double peau » (pour les profanes, sorte de plaquette gélatineuse qui, placée au bon endroit, évite les ampoules). Au médecin de l'équipe, j'expose, en néophyte, mes doléances de nouvel utilisateur :

« La faiblesse de ce “truc”, c'est qu'il ne reste pas en place et qu'il se balade dans la chaussure !

– Impossible ! Montre-moi ! »

Puis après un constat rapide :

« La prochaine fois, tu devrais quand même enlever le plastique de protection ! »

Qu'il pleuve ou qu'il neige, que le soleil brille ou qu'il vente, je cours cinq fois par semaine, à la recherche d'une condition physique qui me permette de terminer dans les délais un des grands marathons du monde. Ambition modeste, certes, mais qui exige une discipline de fer. Je ne m'entraîne pas seul, mais accompagné d'une petite chienne, celle de ma femme. Alibi béton : « Je vais faire pisser le chien ! » C'est un cairn-terrier de 7 kilos que, un peu par dérision et beaucoup par affection, j'appelle « ma Grande ».

Mon circuit d'entraînement préféré est le barrage « du pas de Riot ».

Récemment, dans la montée du parking de Planfoy, je double (fait rarissime) un coureur qui s'avère être une coureuse (fait presque aussi rarissime).

Je parcours une dizaine de mètres et m'avise tout à coup que ma chienne, reniflant sans doute des fragrances de quelque congénère, avait pris un retard important. Je stoppe, me retourne, et l'encourage de la voix : « Allez, allez, ma grande, on se presse, on se presse... allez, allez ! » La jeune coureuse, les joues rouges, le regard vague, arrive à ma hauteur et me lance dans un souffle : « Je fais ce que je peux !... J'arrive, je ne peux pas aller plus vite ! »

Le vendredi, les auteurs étaient invités à ce qu'ils appelaient eux-mêmes le « dîner aux morilles ». Il avait lieu à 1 300 mètres d'altitude dans la ferme-auberge de La Jasserie, chère à Jean-Jacques Rousseau. Événement dans l'événement, cerise sur le gâteau, que les habitués présentaient aux nouveaux comme le gâteau lui-même. Une institution comme l'est à Brive le train du « cholestérol » ou à Sablet, le déjeuner dans la pinède.

Cette super-bouffe n'était en réalité que le hors-d'œuvre de la marche de nuit que les auteurs avertis, équipés chaudement contre la pluie, la neige et le vent, effectuaient avec allégresse alors que les autres, invoquant un manque de préparation, l'envisageaient seulement pour l'année suivante !

La nuit était belle mais sans lune : elle avait envahi la « coursière », les pins à crochets, les douglas. Je descendais, dans le noir, encadré de deux compagnons non identifiés.

L'obscurité facilite le dialogue et la conversation roulait sur la création littéraire et plastique. L'un des marcheurs insistait sur le désarroi du sculpteur qui à l'encontre de l'écrivain se trouve désemparé quand, au modelage, il a arraché trop de matière à l'œuvre en cours. Et de donner en exemple la statue de Churchill qu'il avait ainsi imprudemment dégraissée.

« Vous parlez du Churchill de Jean Cardot ?

– Je suis Jean Cardot.

– Moi, Gilles Perrault.

– *Le Pull-over rouge ?*

– *Le Pull-over rouge.* »

Présentations faites, les deux ombres ont continué leur débat de bâtisseurs de rêves.

France-Culture sous les étoiles...

De toutes les villes françaises qui accueillirent la Coupe du Monde de football en 1998, Saint-Étienne fut la seule à proposer un programme culturel. Deux cafés littéraires par match : lectures par l'équipe d'Alain Besset de textes extraits du livre de François de Cornière *La Surface de réparation*, et traduits par des étudiants dans les langues de nos invités.

Dans mon infinie naïveté, je pensais que les grands quotidiens d'information trouveraient que c'était là un angle original convenant à leur public, plus féru de Barthes que de Bartez, de Gaston Leroux que de Laurent Blanc, de Zazie que de Zizou, de Marcel Duchamp que de Didier Deschamps. Eh bien, non, ce furent les journaux sportifs qui eurent plaisir à démontrer leur aptitude à ne pas se confiner dans la monoculture des terrains de football.

Le premier quart de finale opposait la Yougoslavie à l'Iran. L'arrivée, bras dessus, bras dessous, au pub du Grillon, de Vladimir Dimitrievitch, PDG des éditions de L'âge d'homme préposé aux textes serbes, et de Ghassem Abbassian, responsable des lectures en Persan, fut la promesse des moments privilégiés qui devaient illuminer les semaines à venir.

Arthur Paecht, vice-président de l'Assemblée nationale et président de France-Autriche, récita en espagnol *Le Corbeau et le Renard* à l'ambassadeur du Chili. L'ambassadeur Ruben Barerio-Saguier présenta à un amphi d'étudiants hispanisants la littérature paraguayenne dont il est le poète emblématique. La tornade orange hollandaise investit bruyamment le café littéraire « Pays-Bas-Mexique » mais écouta dans un silence de cathédrale Carlos Fuentes déclamé en espagnol. Un groupe de supporters écossais remercia avec une chaleur digne des pubs d'Édimbourg, Michel Thiollière, maire de Saint-Étienne, dont la lecture d'un poème en anglais les avait pourtant privés de la retransmission du match de l'après-midi. La horde réputée hooligan écouta en plein air, place Neuve, la *Tempête* de Shakespeare en prélude au match Angleterre-Argentine.

Le clou de l'opération fut l'arrivée de Driss Chraibi au déjeuner officiel : j'étais allé chercher à la gare l'auteur de *L'Inspecteur Ali*. Il était accompagné de son fils, qui, en hommage à sa mère d'origine écossaise, avait tenu à honorer d'égale façon l'Écosse et le Maroc. Il avait enfilé un kilt écossais sur une djellabah des Afriques et pour saluer sa terre d'accueil avait conservé ses pataugas ardéchois.

Ainsi soit-il
ou les jeux sont faits

1999-2001

ON ENTEND LES VAGUES
LE SILENCE DE LA MER
VERCORS
PIEM

Il est mort sur son vélo, comme il aurait aimé mourir dans bien longtemps. Il est mort sur son vélo et il nous laisse tous orphelins, sa femme Suzanne, ses amis innombrables connus et inconnus.

Louis Nucéra, prince du verbe et des beaux vélos, était une personnalité majeure de la Fête du livre de Saint-Étienne. Depuis ses tout débuts, il y fut présent avec sa gentillesse, son sourire et son attention pour les obscurs, les simples, les anonymes. Sur les stands de dédicaces, aux tables rondes, dans les cafés littéraires et le feutré des jurys, il apportait ce supplément de sensibilité, de délicatesse et de profondeur qui en faisait l'ami de tous, le confident des seigneurs, le confesseur des humbles. Il présidait aussi la montée cycliste : montée des « Soleils d'Automne » avec Henry Anglade. Personne ne savait qui, du champion cycliste ou du lauréat de l'Académie française, était le plus honoré de pédaler dans la roue de l'autre. Anxieux au royaume des angoissés, il vous faisait admettre comme une nécessité qu'il fallait lui monter du 52 × 13, le 52 en pignon arrière, évidemment.

Il a rejoint dans les étoiles ces pionniers qui furent nos grands anciens : Jean Guitton, Charles Exbrayat, Robert Mazoyer, Jacques Derogy, Yves Gibaud, Virgil Gheorghiu, pour une grande fête de l'éternité, aux confins bleus de la baie des Anges.

Il s'en est allé avec son encyclopédie de mots d'auteurs, non pas de ceux qui sonnent, assènent ou assomment, mais ceux qui offrent un plus de densité d'âme et de poésie.

Les jours passent, les semaines s'égrènent, son sourire, sa voix, son rire sont toujours là, tragiquement là. L'apaisement, la sérénité, reviendront un jour, certainement. Un jour, certainement, ils reviendront. Longtemps après qu'aucun inconnu ne m'arrêtera dans la rue pour me dire :

« Vous êtes monsieur Plaine ?

– Oui.

– Pour Louis, on est bien triste, monsieur. »

Hommage à Louis Nucéra (publié dans *Utopia 2001*).

Le costume d'Immortel était sur cette terre le seul à la mesure de Jean Guitton. Il ne rêvait que de destins qui tutoient les étoiles. « Au plafond, toujours » disait-il, lui, philosophe, écrivain, peintre, romancier et journaliste, en suggérant qu'il eût aimé être aussi – et pourquoi pas ? – président de la République, saint Quelque-Chose, Blaise Pascal ou les trois à la fois. Son ami Paul VI l'avait pourtant mis en garde : « L'orgueil vous guette, Guitton, si vous étiez prêtre, vous voudriez être pape. »

Premier parrain de la Fête du livre, il en resta toujours le guetteur attentif jusqu'à sa mort et sa présence était toujours un événement dans l'événement :

– l'inauguration par lui-même, en 1986, des allées qui jusqu'alors étaient « Bergson » et qui furent rebaptisées pour sa gloire et la circonstance allées « Jean Guitton »,

– son arrivée à la soirée des Babets d'Or en Hotchkiss 1923 carrossée Weymann,

– son « Journal inattendu » où il désespéra Jean-Pierre Tison par ses positions abruptes et définitives sur le sida,

– l'interview télévisée qu'il fit du président Pinay en enlevant à la hussarde le micro des mains de Claude Chebel,

– son évaporation diplomatique, quelques instants avant sa table ronde avec les Frères Bogdanoff.

Membre du jury « Jules Janin » où il aimait à retrouver René Brouillet, ancien secrétaire du Général et ambassadeur de France au Vatican, il côtoyait avec son indulgence bonhomme les sales gosses de l'équipe : Paul Fournel, Bernard Lavilliers, Piem et Muriel Robin.

La dernière image que je garde de lui, je la partage avec le maire de Saint-Étienne, Michel Thiollière. C'était dans son appartement de la rue de Fleurus. Jean Guitton avait déjà un pied à la droite de Dieu. Assis au centre de son bureau, il rythmait son propos en martelant le plancher du bout de sa canne.

Il vivait ses derniers beaux jours parmi les hommes et son esprit parfois s'échappait pour rejoindre le Créateur. Il redescendait très vite et retrouvait face à lui Michel Thiollière, s'étonnait de sa présence : « Vous êtes le maire de Saint-Étienne ? » Il remontait là-haut dans la béatitude céleste, revenait sur terre pour s'émerveiller de la jeunesse de son visiteur : « C'est vous, le maire de Saint-Étienne ? » Il filait dans l'au-delà, ressurgissait pour s'effarer d'avoir face à lui le premier magistrat de sa ville natale : « J'ai devant moi le maire de Saint-Étienne ? » Il nous offrait quelques fulgurances d'exégète, s'éclipsait de nouveau dans les Limbes, pour retrouver, l'instant suivant, toute la force de son plaidoyer de passeur du siècle.

Une heure de va-et-vient entre deux mondes, celui d'ici-bas et le sien aux portes de l'Univers. Redescendus à celles du jardin du Luxembourg, nous eûmes avec Michel Thiollière la certitude d'avoir vécu une heure impérissable de mécréants, une seconde mémorable d'éternité.

« Ce type avait le caractère d'un mousquetaire et la fougue d'un bandit de grand chemin », Robert Chapatte l'avait surnommé « Napoléon ». C'est Henry Anglade, deux fois champion de France, vainqueur moral du Tour de France 59, dynamiteur des pelotons.

Pour sa première Fête du livre à Saint-Étienne, je lui fis rencontrer son homonyme Jean Anglade, Prix des libraires 1962 avec *La Foi et la Montagne*, et je les installai sur un pousse-pousse. Henry aux pédales, Jean dans le siège du client.

Jean Anglade en fit une page dans son livre de souvenirs, Henry devint aux côtés de Louis Nucéra le parrain de la montée des « Soleils de l'Automne ».

Dure montée. Chaque année, au milieu de la côte, à l'endroit où la route prend le maximum d'altitude pour un minimum de kilomètres, Henry Anglade, qui jusque-là grimpe de concert avec moi, se sent des fourmis dans les jambes. Mousquetaire, Napoléon, bandit de grand chemin, il est aussi et avant tout un gentleman, le Philéas Fogg des pelotons : au moment où il me laisse à la dérive, collé au bitume, il lance au groupetto d'une vingtaine de coureurs qui assistent à mon agonie : « C'est la première fois que je lâche Plaine dans le col de la Croix de Chaubouret. »

Ce n'est pas une histoire de vélo mais de VTT.

Randonnée sur le plateau de l'Aubrac, avec l'aîné de mes petits-fils. Déjeuner à Nasbinals où le patron du restaurant sert l'aligot avec emphase : gestes larges et généreux de « l'aligoteur » extraverti faisant son numéro devant une salle attentive et bon public, la pâte se forme, se transforme, s'étire, vole d'une cuillère à l'autre, bien au-dessus du plat et finit en turban sur la tonsure d'une tête de Turc accueillante et consentante.

Après le café, retour au sport, à l'effort, au grand plateau et aux petits braquets, retour aux grands espaces, à l'infini verdoyant des prés et des bois...

Dans l'après-midi, le chemin s'allonge, se dérobe, s'efface : nous sommes au plus haut du paysage, à nos pieds la nature se déroule uniforme et sans aucune aspérité : rien, pas même un relief ou une colline qui permette de distinguer le nord du sud, l'est de l'ouest ; nous sommes sinon perdus, du moins égarés. Par chance, passe un marcheur : les déserts sont peuplés de Samaritains qu'une bonne fortune peut parfois placer à la croisée de vos soucis.

« S'il vous plaît, monsieur, la direction de Nasbinals ? »

Le pèlerin jette aux quatre points cardinaux le coup d'œil circulaire de celui qui sait, cherche un élément remarquable qui accrocherait le regard :

« Foutu pays, rien, rien de rien pour se repérer !
– Si, là-bas, ce toit rouge...
– Désolé, monsieur, je suis daltonien... »

Pendant des siècles, au lavoir comme à la petite épicerie, les femmes ont refait le monde de la vie quotidienne. Le lave-linge a tué le lavoir, le supermarché a eu la peau du petit commerce.

Depuis toujours, au bistrot, les hommes ont réécrit l'Histoire. Les juke-boxes et les machines à sous ont assassiné les meetings de comptoirs ou d'arrière-salles et les palabres de cafés du Commerce.

Depuis Gutenberg, dans les librairies, les clercs du lointain passé, les érudits d'hier et les lettrés d'aujourd'hui, ont refait le monde des arts, des armes et de tout le reste. C'est là qu'a mûri *L'Encyclopédie*, c'est là que naquit le Siècle des Lumières.

La FNAC est-elle le sublime épanouissement de ces cathédrales ou le triste hypermarché de billets pour vaudevilles ?

« Bonne nouvelle pour Saint-Étienne, un de nos auteurs va s'installer chez vous ! Je vous envoie son dernier manuscrit : superbe ! »

Je reçus le lendemain le texte envoyé par Calmann-Lévy, alors que je prenais la route pour la Fête du lac à Annecy.

Après avoir assisté à un show pyrotechnique exceptionnel, mis en musique par les établissements Lacroix sur un texte de Jean Andersson, je m'installai dans ma chambre d'hôtel au cœur du vieil Annecy. Depuis que j'avais sorti le manuscrit de son enveloppe kraft, ce matin, des bouffées de curiosité agaçaient mon imagination.

Comme une grande marée au Mont-Saint-Michel, l'aile vagabonde des 300 000 spectateurs envahissait les terrasses des restaurants, des brasseries et des cafés. L'orage rôdait sur le lac, grondait sur le Semnoz. C'est dans ce débordement fêtard dont la rumeur babillarde et les effluves boustifaillants investissaient par la fenêtre ouverte mon pré carré que, de la première à la dernière ligne, d'un seul trait, d'une seule lampée, et dans la touffeur de l'été, je dévorai *Les Frères Romance.*

En novembre, Jean Colombier décrochait le Renaudot.

Depuis, les cloches ont fait dix fois le voyage à Rome, et j'ai lu bien des livres ; mais lorsque je retourne à Annecy, que je m'égare sur les quais de l'Isle dans la vieille ville et que dans la rue du

Château je retrouve « mon hôtel », *Les Frères Romance* me sautent à la gorge, m'inondent de leurs histoires, m'emportent dans leur camion. Chaque fois que dans ma bibliothèque, mes yeux s'attardent sur *Les Frères Romance*, la nouba du lac, le feu d'artifice d'Annecy, m'entraînent dans la chambre-étuve où j'ai découvert la plume de Jean Colombier.

Aurais-je les mêmes souvenirs, les mêmes émotions si, les pieds dans mes babouches, j'avais lu, tranquille-peinard *Les Frères Romance* après une triste journée à parler boutique avec l'expert-comptable ?

Le pont Charles, sur la Vltava, est une des merveilles de Prague, joyau des constructions médiévales, trait d'union entre la vieille ville et Mala Strana. Sur chacun de ses piliers ont été élevées, au cours des siècles, des statues de saints personnages. Le plus célèbre est saint Jean de Népomucène que le roi Vaclav IV fit jeter à l'eau là où est encastré un bas-relief orné de cinq étoiles : la légende affirme que quiconque fait un vœu en y apposant les cinq doigts, le voit immédiatement exaucé.

En l'an 2000, noyé dans la meute des concurrents du marathon de Prague, je vis une jeune coureuse aux pieds de Népomucène, les doigts pieusement repliés sur les cinq étoiles. Je n'avais pas terminé de traverser le pont Charles qu'elle me doublait, fringante comme une pouliche de concours : je ne la revis qu'après avoir coupé la ligne d'arrivée.

« Les Fêtes du livre, c'est comme les pipes, ça se culotte », remarquait Daniel Picouly, à la première d'une Fête créée dans un espace à l'architecture futuriste, aux lumières d'hôpital et à la chaleur de béton cellulaire.

Réflexion à rapprocher de la confidence d'un auteur à son attachée de presse, au retour de notre première Fête du livre : « Vous m'avez envoyé essuyer les plâtres, désolé, il n'y avait pas de plâtres. »

Sur l'âge que l'on fait et celui que l'on a, Yann Queffelec, parrain de la cuvée 2000 des vins du Forez, avançait, à l'occasion de la réception donnée en son honneur à la mairie de Saint-Étienne, que « 70 ans pour un homme d'aujourd'hui correspondait à 60 pour celui d'hier ». Il fut, en revanche, beaucoup plus évasif sur le barème à utiliser pour un enfant de 6 ans ou pour un ado de 15 !

Pour les chiens et depuis des lustres, il suffit de multiplier par 7 pour calculer l'équivalence avec l'espèce humaine, mais avec l'accumulation de soucis, d'inquiétudes, d'enthousiasmes éreintants, de banquiers épuisants, de bons livres épuisés, de clients fatigants, de diffuseurs fatigués, comment calculer la différence entre l'âge réel d'un libraire et son âge apparent ? La vie de chien, aujourd'hui, ce n'est plus pour les chiens.

Paris. Rue des Saints-Pères. Devant moi une silhouette connue. Tiens, mais c'est Monique !

« Monique Brossard Le Grand, bonjour !

– Oh, quelle surprise ! Je vais justement chez Lattès signer le contrat de mon dernier roman. Tu es un heureux présage, tu vas forcément me porter chance ! »

Le lendemain, au téléphone :

« Alors, Monique, ce contrat ?

– Ça a marché, grâce à toi ! »

Un silence. Puis :

« Après t'avoir rencontré, je suis quand même allée mettre un cierge à Saint-Germain-des-Prés ! »

Il y a des hommes qui, eux, mettent une ceinture et des bretelles !

Dans le tram, un jeune garçon, 16-17 ans, s'approche de moi et tout de go me souffle à l'oreille :

« Merci, monsieur, de tout ce que vous faites pour nous. »

Je suis descendu à l'arrêt suivant : imaginez que, tout à coup, un de ses copains, en veine aussi d'amabilité, me propose sa place assise !

À l'époque où une scolarité sans latin était comme un repas sans fromage, époque où « faire » du latin sans « faire » de grec avait un relent d'ambition étriquée, les élèves des lycées de la ville, et particulièrement ceux de Claude-Fauriel, venaient à la librairie consulter, à l'œil et à la dérobée, la collection bilingue Guillaume Budé. La note obtenue à la traduction dépendait de l'aptitude des uns et des autres à ajouter quelques maladresses, un tout petit contre-sens, deux ou trois fautes d'orthographe, bref à démarquer la qualité, pour mettre le traducteur de la « Guillaume Budé » à notre niveau de cancre moyen. Il était aussi recommandé de ne pas se tromper de page, mais cette mise en garde ne concernait que les débutants ou les délinquants primaires.

Au cours des soixante-dix ans d'existence de la librairie, cette collection a fait le tour complet du magasin : à droite, à gauche, devant, au fond, enfin plus tard au premier étage. Il m'est facile, aujourd'hui, d'évaluer l'âge d'un Stéphanois en lui demandant de préciser l'endroit où, dans sa jeunesse, il allait chercher ce soutien pédagogique gracieux.

Quand à presque 70 ans, en l'an 2001, j'ai annoncé que la 16e Fête du livre serait ma dernière, personne n'a été surpris, certains ont dit « enfin », d'autres se sont exclamé « déjà », tous, en revanche, se sont inquiétés de ce que j'allais faire « après ».

Pas un seul n'a envisagé que, comme tout un chacun, j'avais peut-être envie de préparer ma musette pour le grand voyage.

Il y a les souvenirs qu'on porte en bandoulière et ceux qu'on enterre au fond du jardin. Je viens de faire un grand tour avec les premiers, les seconds sont très bien dans les bégonias.

Il s'agit de mille petits riens, mille offenses bénignes, avanies de comptoirs, agressions de surface, mille broutilles qui m'ont, l'espace d'un matin, donné l'envie et le courage de dire : « J'arrête. » C'était en 1991, je tirais ma révérence, je baissais le rideau, je tournais la page, je mettais la clef sous la porte, j'allais m'asseoir sur le talus pour regarder passer les trains.

Lukas Kandl, l'auteur mythique des affiches de la Fête, a célébré la fermeture de ma librairie par une affiche qui symbolisait l'événement et en était l'épilogue : un gallinacé ou tout au moins ce qu'il en restait, un squelette décharné qui venait de pondre, magnifique, un œuf en or massif.

Amis des livres, coureurs de librairies, vous qui connaissez une poule aux œufs d'or, pensez qu'elle a des ailes.

Table

DANS LA COLLECTION « DOCUMENTS »
au cherche midi

CHRISTINE ABDELKRIM-DELANNE
Guerre du Golfe
La Sale Guerre propre

GEOFFROY D'AUMALE
JEAN-PIERRE FAURE
Guide de l'espionnage et du contre-espionnage
Histoire et techniques

ANDRÉ BENDJEBBAR
Histoire secrète de la bombe atomique française

JEAN BERNARD
La Médecine du futur

GWEN-AËL BOLLORÉ
J'ai débarqué le 6 juin 1944

ISABELLE BRICARD
Dictionnaire de la mort des grands hommes

MICHEL BÜHRER
Rwanda, mémoire d'un génocide
textes et photographies

VIRGINIE BUISSON
Lettres retenues
Correspondance confisquée des déportés de la Commune en Nouvelle-Calédonie

JÉRÔME CAMILLY
6 juin 1944, le débarquement

ALEXANDRE DOROZYNSKI
Moi, Vladimir Oulianov, dit Lénine
Le roman du bolchevisme

JEAN-LUC EINAUDI
Un Algérien, Maurice Laban

Viet-nam
La guerre d'Indochine (1945-1954)

PR PHILIPPE EVEN
Les Scandales des hôpitaux de Paris et de l'hôpital Pompidou

SYLVAIN GOUDEMARE
Marcel Schwob ou les Vies imaginaires

JOSEPH GOURAND
Les Cendres mêlées

JEAN-PIERRE GUICHARD
De Gaulle face aux crises

FRANÇOISE et CLAUDE HERVÉ
Le Tour du monde à vélo

ALAIN KALITA
Je suis né deux fois

ALAIN LAVILLE
Un crime politique en Corse, Claude Érignac, le préfet assassiné

LOÏK LE FLOCH-PRIGENT
Affaire Elf. Affaire d'État

DOMINIQUE LORMIER
Les Combats victorieux de la libération, 1944-1945

LUIGI LUCHENI
Mémoires de l'assassin de Sissi
édition établie et présentée par Santo Cappon

PHILIPPE MAURICE
De la haine à la vie

FAWZI MELLAH
Clandestin en Méditerranée

PHILIPPE MÉLUL
Le Tour du monde en train

DOMINIQUE MEYNIEL
Le Couloir des urgences

MARTIN MONESTIER
Peines de mort
Histoire et techniques des exécutions capitales, des origines à nos jours

Suicides
Histoire, techniques et bizarreries de la mort volontaire, des origines à nos jours

Les Animaux-soldats
Histoire militaire des animaux, des origines à nos jours

Histoire et bizarreries sociales des excréments, des origines à nos jours

Les Mouches : le pire ennemi de l'homme

Cannibales
Histoire et bizarreries de l'anthropophagie hier et aujourd'hui

Les Seins
Encyclopédie historique et bizarre des gorges, mamelles, poitrines, pis et autres tétons, des origines à nos jours

THÉODORE MONOD
Le Chercheur d'absolu

KEIJI NAKAZAWA
J'avais six ans à Hiroshima, le 6 août 1945, 8 h 15

JEAN-LOUIS NOYÈS
Souvenirs d'un magnétiseur

GILLES PLAZY
Gustave Courbet, un peintre en liberté

YVES POURCHER
Pierre Laval vu par sa fille d'après ses carnets intimes

GISÈLE PRÉVOST
Voyage au pays du luxe

MAURICE RAJSFUS
La Police hors la loi. Des milliers de bavures sans ordonnances, depuis 1968

Mai 68. Sous les pavés, la répression juin 1968 - mars 1974

La Censure militaire et policière, 1914-1918

Drancy, un camp de concentration très ordinaire, 1941-1944

La Police de Vichy, les forces de l'ordre françaises au service de la Gestapo, 1940-1944

L'Humour des Français sous l'Occupation, en collaboration avec Ingrid Naour

Les Français de la débâcle Juin-septembre 1940, un si bel été

De la victoire à la débâcle 1919-1944

Opération étoile jaune

JACQUES ROSSI
Manuel du Goulag

Qu'elle était belle cette utopie
Chroniques du Goulag

Jacques le Français

CATHERINE DE SILGUY,
Histoire des hommes et de leurs ordures, du Moyen Âge à nos jours, préface d'Éric Guillon

CHRISTEL TRINQUIER
Femmes en prison

VÉRONIQUE VASSEUR
Médecin-chef à la prison de la Santé

DANIEL ZIMMERMANN
Jules Vallès, l'Irrégulier

Composition et mise en pages DV Arts Graphiques à Chartres
Imprimé en France par la Société Nouvelle Firmin-Didot
Dépôt légal : septembre 2002
N° d'édition : 178 - N° d'impression : 60856
ISBN : 2-7491-00-178